Histoires inédites du Petit Nicolas - Volume 2
Le Petit Nicolas, les personnages, les aventures et les éléments caractéristiques de l'univers
du Petit Nicolas sont une création de René Goscinny et Jean-Jacques Sempé.

© IMAV éditions 2006

contact@imaveditions.com
Code ISBN : 2-915732-02-7

Histoires inédites du Petit Nicolas®

Volume 2

René Goscinny & Jean-Jacques Sempé

Histoires inédites du Petit Nicolas®

Volume 2

IMAV éditions
www.petitnicolas.net

A Gilberte Goscinny

Note de l'éditeur

Après la publication des *Histoires inédites du Petit Nicolas* en octobre 2004, quarante cinq autres nouvelles, inédites elles aussi, préparaient leur entrée en scène.

Le moment est venu pour ces récits parus de 1959 à 1965 dans *Sud-Ouest Dimanche* et *Pilote* de sortir de l'ombre des archives de mon père, pour entrer dans la lumière du plaisir des lecteurs qui vont les découvrir.

Ce deuxième volume des *Histoires inédites du Petit Nicolas* nous offre de nouvelles facéties du plus célèbre des petits écoliers. Une fois encore les auteurs nous surprennent en amenant leurs personnages là où on ne les attend pas. Voici quelques exemples pour mettre l'eau, teintée de grenadine, à la bouche du lecteur.

Dans ce recueil-là nous assistons par exemple à la corruption d'Agnan, à une mutinerie générale à l'encontre d'une décision du Bouillon, aux progrès fulgurants de Clotaire qui n'est plus dernier mais avant-dernier et au retour en force de mémé (la maman de maman). Mais nous suivrons aussi Nicolas chez le coiffeur, à la piscine et même dans une usine de chocolat.

De la cour de récré, en passant par le terrain vague ou le square, Nicolas, Alceste, Rufus, Eudes, Geoffroy, Joachim et les autres font preuve d'une étonnante imagination et nous réservent bien des surprises.

En un mot, grâce à la formidable alchimie qui mêle ce langage d'enfant imaginé par Goscinny et le trait poétique, facétieux et décalé de Sempé, la magie opère ! Chaque histoire, tour à tour fraîche, tendre, drôle et parfois émouvante, évoque le plaisir insouciant d'être un enfant ou de se souvenir. Et si l'on est du côté de ceux qui se souviennent, on appréciera de ne jamais tomber dans la nostalgie.

Créé il y a une cinquantaine d'années, le Petit Nicolas séduit toutes les générations. Mais comment ne pas avoir un destin hors du commun quand on est le fruit de l'amitié de deux créateurs tels que Goscinny et Sempé ? Et quand à l'origine de sa conception il y a les souvenirs d'enfance de deux monstres sacrés ?

Toutes les générations sont séduites par cette œuvre aussi inclassable que savoureuse. Qui le premier a dit à l'autre : « lis ça, c'est formidable ! » L'adulte ou l'enfant ? Le père ou le fils ? La grand-mère ou sa petite-fille ? On ne sait pas car chacun revendique auprès de l'autre sa géniale découverte !

Si le Petit Nicolas joue sur la scène d'un univers apparemment réaliste, mon père et Jean-Jacques Sempé ont en vérité décrit un monde enchanté où les enfants ont sur leurs aînés un regard lucide, ironique mais toujours tendre et où les adultes quant à eux règlent de façon immature des problèmes artificiellement réels !

La recette fonctionne parce qu'elle est à l'image de la vie : quel enfant n'a jamais regardé agir ses parents en doutant du bien-fondé de l'action en question? Quel adulte n'a jamais eu envie de redevenir un enfant ce qui lui aurait conféré une légitimité pour se battre avec son voisin, ou pour faire des cocottes en papier au bureau ?

Mais Nicolas est une star, et à ce titre il a voulu un traitement de star ! C'est pour cela que Jean-Jacques Sempé a repris sa plume et a illustré à nouveau une dizaine de récits de mon père dont les dessins n'étaient plus disponibles.

Le rideau est-il définitivement tombé sur les aventures du Petit Nicolas maintenant que vous avez entre les mains ces nouveaux épisodes inédits ? La représentation est-elle vraiment terminée ? Peut-être pas... Et c'est à l'imagination sans limite des créateurs que nous nous en remettons !

Si le Petit Nicolas s'était produit au théâtre, les spectateurs auraient tant applaudi, que le petit garçon aurait été obligé de leur offrir un bis.

Et ce bis le voilà !

Anne Goscinny

Nicolas

« C'est chouette ! »

Alceste

« C'est mon meilleur copain,
un gros qui mange
tout le temps. »

Eudes

« Il est très fort et il aime bien
donner des coups de poing
sur le nez des copains. »

Geoffroy

« Il a un papa très riche qui
lui achète tout ce qu'il veut. »

Agnan

« C'est le premier de la classe
et le chouchou de la maîtresse,
nous on ne l'aime pas trop. »

Marie-Edwige

« Marie-Edwige est très chouette,
je crois que l'on va se marier
plus tard. »

Joachim

« Il aime beaucoup jouer aux billes.
Et il faut dire qu'il joue très bien ;
quand il tire, bing !
il ne rate presque jamais. »

Rufus

« Il a un sifflet à roulettes
et son papa est policier. »

Clotaire

« C'est le dernier de la classe.
Quand la maîtresse l'interroge,
il est toujours privé de récré. »

Maman

« Moi, j'aime assez rester à la maison,
quand il pleut et qu'il y a du monde,
parce que maman prépare des tas
de choses chouettes pour le goûter. »

Papa

« Papa, il sort plus tard de son
bureau que moi de l'école,
mais il n'a pas de devoirs. »

Mémé

« Elle est gentille mémé,
elle me donne des tas de choses et tout
ce que je dis la fait rire beaucoup. »

M. Blédurt

« C'est notre voisin,
il aime bien taquiner papa. »

La maîtresse

« La maîtresse, elle est si gentille et si jolie
quand nous ne faisons pas trop les guignols ! »

Le Bouillon

« C'est notre surveillant, on l'appelle
comme ça parce qu'il dit tout le temps :
« Regardez-moi bien dans les yeux »,
et dans le bouillon, il y a des yeux.
C'est les grands qui ont trouvé ça. »

Chapitre I
Cher Père Noël

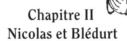

Chapitre II
Nicolas et Blédurt

Chapitre III
Le mariage de Martine

Chapitre IV
Le Bouillon n'aime pas la glace

Chapitre V
Une surprise pour mémé

Chapitre I
Cher Père Noël

Cher Père Noël

COMME CHAQUE ANNÉE depuis que je sais écrire, et ça fait un drôle de tas d'années, j'ai dit à papa et à maman que j'allais vous envoyer une lettre pour vous demander des cadeaux pour Noël.

Là où j'ai été embêté, c'est quand papa m'a pris contre ses genoux et qu'il m'a expliqué que vous n'étiez pas très riche cette année, surtout après le coup auquel vous ne vous attendiez pas : l'argent que vous avez dû payer pour arranger votre traîneau, quand l'autre imbécile est venu de droite avec son traîneau à lui, mais même s'il y avait des témoins, ce n'est pas vrai ce qu'a dit la compagnie d'assurances, et vous étiez déjà engagé. La même chose est arrivée à mon papa avec son auto la semaine dernière, et papa n'a pas été content du tout.

Et puis, papa m'a dit que je devais être généreux et chouette, et qu'au lieu de demander des cadeaux pour moi, je devrais vous demander des cadeaux pour tous ceux que j'aime bien et pour mes copains. Moi, j'ai dit que tant pis, d'accord, alors maman m'a embrassé, elle m'a dit que j'étais son grand garçon à elle, et qu'elle était sûre que malgré le coup du traîneau, il vous restait peut-être assez de sous pour ne pas m'oublier tout à fait. Elle est un peu chouette, ma maman.

Donc pour moi, je ne vous demande rien.

Pour mon papa et pour ma maman, ce qui serait bien, c'est que vous leur donniez une petite auto dans laquelle je peux me mettre dedans, et qui marche toute seule, sans qu'on ait besoin de pédaler et qui a des phares qui s'allument, comme ceux de l'auto de papa, avant l'accident. L'auto, je l'ai vue dans la vitrine du magasin qui est un peu plus loin que l'école. Si vous donniez cette auto à mon papa et à ma maman, ce serait très bien, parce que je jouerais tout le temps dans le jardin, c'est promis, et je ne ferais plus enrager maman, qui n'aime pas que je sois tout le temps à courir dans la maison et à faire des bêtises dans la cuisine. Et puis, papa, il pourrait lire tranquillement son journal,

parce que quand je joue à la balle dans le salon, il se fâche et il demande qu'est-ce qu'il a bien pu faire pour mériter ça, et que quand il a passé une journée au bureau, il aimerait être un peu tranquille à la maison.

Si vous leur donnez la petite auto, à mon papa et à maman, achetez celle qui est rouge, s'il vous plaît. Il y en a une bleue aussi, mais je crois qu'ils aimeront mieux la rouge.

Pour la maîtresse, qui est si gentille et si jolie quand nous ne faisons pas trop les guignols, j'aimerais avoir la réponse de tous les problèmes d'arithmétique de l'année. Je sais qu'à la maîtresse, ça lui fait toujours beaucoup de peine de nous mettre des mauvaises notes. « Tu sais, Nicolas, elle me dit souvent, ça ne me fait pas plaisir de te mettre un zéro. Je sais que tu peux mieux faire. » Alors, si j'avais la réponse de tous les problèmes d'arithmétique, ça serait très chouette, parce que la maîtresse me mettrait des tas de bonnes notes, et elle serait contente comme tout. Et moi, s'il y a une chose que j'aime bien, c'est faire plaisir à ma maîtresse ; et puis aussi, Agnan, qui est un chouchou, il ne serait plus tout le temps le premier de la classe, et ça serait bien fait pour lui, parce qu'il nous embête, c'est vrai, quoi, à la fin.

Geoffroy, un copain, il a un papa très riche qui lui achète tout ce qu'il veut, et il vient de lui acheter un costume de mousquetaire

terrible, avec une épée, tchaf, tchaf, un chapeau avec une plume, et tout. Mais il est tout seul à avoir un costume de mousquetaire, alors, quand il joue avec nous, Geoffroy, ce n'est pas drôle, surtout pour le coup des épées ; nous on prend des règles, mais ce n'est pas la même chose. Alors, si j'avais aussi un costume de mousquetaire, Geoffroy, il serait content, parce qu'il pourrait vraiment jouer avec moi, tchaf, tchaf, et les autres, avec leurs règles, on pourrait les prendre tous et les vainqueurs ce serait toujours nous.

Pour Alceste, un autre copain, c'est facile ; Alceste aime beaucoup manger, alors, si je pouvais avoir des tas de sous, je l'inviterais tous les jours à la sortie de l'école, dans la pâtisserie pour manger des petits pains au chocolat, que nous aimons beaucoup. Alceste aime bien la charcuterie aussi, mais c'est des petits pains au chocolat qu'il aura, parce qu'après tout, c'est moi qui paie, et si ça ne lui plaît pas, il n'a qu'à aller se l'acheter lui-même sa charcuterie. Sans blague !

Joachim, il aime beaucoup jouer aux billes. Et il faut dire qu'il joue très bien ; quand il tire, bing ! Il ne rate presque jamais. Alors nous, bien sûr, on ne veut plus jouer avec lui, parce que comme on joue pour de vrai, on perd toutes nos billes. Et il s'ennuie Joachim, à la récré. « Allez quoi, les gars, allez quoi !... », il nous dit Joachim ; c'est très triste. Alors, si je pouvais avoir des tas de billes, moi je serais d'accord pour jouer avec Joachim, parce que même s'il gagne tout le temps, ce sale tricheur, j'aurais toujours des billes.

Eudes, qui est très fort et qui aime donner des coups de poing sur le nez des copains, m'a dit qu'il allait vous demander des gants de boxe, comme ça on rigolerait bien à la récré. Eh bien, pour Eudes, le meilleur cadeau à lui faire, ce serait de ne pas les lui donner, les gants de boxe. C'est vrai, parce que je sais comment ça va se passer : Eudes viendra avec ses gants, il va se mettre à donner des coups sur nos nez, alors, nous, on va saigner, on va crier et le surveillant va venir, il va punir Eudes, et nous, ça nous embête quand un copain a une retenue. Alors, si vraiment il faut que vous les donniez à quelqu'un les gants de boxe, donnez-les plutôt à nous, comme ça, Eudes n'aura pas d'ennuis.

Clotaire, lui, c'est le dernier de la classe. Quand la maîtresse l'interroge, il est toujours privé de récré, et quand on donne les livrets, ça fait des histoires chez lui, et il est privé de cinéma, de dessert et de télé. Il est toujours privé de quelque chose,

Clotaire, et le directeur, en classe, il est venu lui dire devant tout le monde qu'il finirait au bagne et que ça ferait drôlement de la peine à son papa et à sa maman, qui se privaient de tout, eux aussi, pour lui donner une bonne éducation. Mais moi, je sais pourquoi Clotaire est le dernier et pourquoi il dort tout le temps en classe. Ce n'est pas parce qu'il est bête ; il n'est pas plus bête que Rufus, par exemple, c'est parce qu'il est fatigué.

Clotaire s'entraîne sur son chouette vélo jaune, pour faire le Tour de France, plus tard, quand il sera grand. Alors, bien sûr, à cause de l'entraînement, il ne peut pas apprendre ses leçons ni

le mieux ce serait de lui prendre son vélo à Clotaire

faire ses devoirs, et comme il ne les fait pas, la maîtresse lui donne des lignes à faire et des verbes à conjuguer, et comme il a de plus en plus de travail, ça le gêne pour son entraînement, et ça l'oblige à travailler même les dimanches. Alors pour que Clotaire ne soit plus le dernier, pour qu'il ne soit plus privé de cinéma, de dessert et de télé, le mieux, ça serait de lui enlever son vélo. De toute façon, si ça continue, il ira au bagne, comme dit le directeur, et on ne le laissera sûrement pas sortir pour courir le Tour de France. Le vélo, si vous voulez, je suis d'accord pour le garder jusqu'à ce que Clotaire soit grand et qu'il n'ait plus besoin d'aller à l'école.

Pour le Bouillon, c'est notre surveillant, mais ce n'est pas son vrai nom, il faudra être très gentil. C'est vrai, il est tout le temps à courir dans la cour de la récré, pour nous séparer quand on se bat, pour nous empêcher de jouer à la balle au chasseur – depuis

le coup de la fenêtre du bureau du directeur – pour nous attraper quand on fait les guignols, pour nous envoyer au piquet, pour nous mettre en retenue, pour nous donner des lignes à faire, pour aller sonner la fin de la récré. Il est très fatigué, le

Bouillon. Alors, vous devriez lui donner tout de suite des vacances, pour qu'il puisse partir chez lui, en Corrèze, et rester très longtemps là-bas. Et, pour être juste, vous devriez aussi donner des vacances à M. Mouchabière, qui remplace le Bouillon, quand le Bouillon n'est pas là.

Et puis, pour Marie-Edwige, qui est une petite voisine, et qui est très chouette, même si c'est une fille, avec sa figure rose, ses yeux bleus et ses cheveux jaunes, j'aimerais savoir faire des galipettes terribles. Elle aime beaucoup voir faire des galipettes, Marie-Edwige, alors, si vous pouviez faire que mes galipettes soient les meilleures de toutes, Marie-Edwige dirait : « Nicolas, c'est le champion de tous les champions. » Et elle serait très contente.

Voilà, je vous ai demandé des choses pour tous ceux que j'aime bien. Il y en a peut-être que j'oublie, parce qu'il y a des tas de gens que j'aime bien, alors, donnez-leur à eux aussi des tas et des tas et des tas de cadeaux.

Pour moi, comme je vous l'ai dit, je ne veux rien.

Même s'il vous reste encore des sous, et que, je ne sais pas, vous auriez tout de même envie de me faire une surprise, comme de m'apporter l'avion qui est dans la vitrine du même magasin que celui où vous trouverez l'auto de papa et maman. Mais attention en passant dans la cheminée, parce que l'avion est rouge, comme l'auto, et c'est très salissant.

En tout cas, je vous promets d'être le plus sage que je pourrai, et je vous dis : JOYEUX NOËL !

Le Noël de Nicolas

Ce soir, on fait un réveillon à la maison. Papa et maman ont invité un tas de leurs amis ; il y aura M. Blédurt, qui est notre voisin, et Mme Blédurt, qui est la femme de notre voisin et qui est bien gentille, il y aura aussi le papa et la maman d'Alceste, un copain de l'école qui est gros et qui mange tout le temps, il y a aura d'autres gens que je connais pas et mémé et ça va être terrible.

Dès ce matin, papa a commencé les préparatifs, maman lui a dit qu'il aurait dû s'y prendre plus tôt, mais papa a dit qu'il allait très bien se débrouiller et qu'il savait ce qu'il faisait et il a pris la voiture pour aller acheter l'arbre de Noël où on va accrocher les cadeaux des grandes personnes, parce que pour moi, les cadeaux, c'est le Père Noël qui vient me les mettre dans les chaussures qui sont devant le radiateur de ma chambre à coucher : nous, on n'a pas de cheminée.

On l'a attendu très longtemps, papa, et puis, enfin, il a ouvert la porte pour entrer. Papa n'avait pas l'air content, il avait son chapeau de travers et sur l'épaule une espèce de long bout de bois avec quelques feuilles d'arbre toutes dépeignées. « C'est ça, le sapin de Noël ? » a demandé maman. Papa a expliqué que c'était ça, mais que son auto était tombée en panne devant chez le marchand d'arbres et qu'il avait dû revenir dans l'autobus et ce qui n'était pas commode, parce qu'il y avait des tas de messieurs dans l'autobus avec des arbres, eux aussi, et que le receveur s'était fâché, qu'il avait dit qu'il n'était pas payé pour voyager dans une forêt et qu'on lui mettait des branches dans les yeux et papa s'était fâché aussi et que finalement, il avait dû continuer la route à pied et que l'arbre avait un peu souffert dans la bousculade, mais qu'avec les décorations, ça ne se verrait pas et que l'arbre serait très joli quand même.

– Viens, Nicolas, m'a dit papa, tu vas m'aider pour la décoration.

Moi, j'étais drôlement content, parce que c'est très amusant de décorer l'arbre, ça m'avait déjà plu l'année dernière, quand j'étais petit. Nous sommes allés dans le grenier pour chercher la boîte avec toutes les boules de verre, les guirlandes et les lampes et puis nous avons commencé à travailler. Papa avait mis l'arbre dans la salle à manger et il a commencé à installer les boules de verre qui restaient après qu'on ait laissé tomber la boîte dans l'escalier. Après les boules de verre, papa a mis les petites lampes de toutes les couleurs sur les branches et ça a pris des tas de temps parce que le fil électrique était un peu mélangé. Papa, il s'était assis par terre et il tirait sur le fil en disant des choses à voix basse pour que je ne les entende pas, mais moi, je sais que c'étaient des gros mots, comme ceux que nous disons à haute voix à la récréation. Et puis, le fil a été installé et papa m'a dit : « Tu vas voir comme c'est beau ! » Et il a mis la prise et ça a fait une chouette étincelle, mais ce n'est sûrement pas ça que voulait papa, parce que les lampes ne se sont pas allumées et que ça lui a un peu brûlé les doigts et qu'il a dit un gros mot que je ne connaissais pas. Mais mon papa, il est très fort, il a arrangé ce qui n'allait pas, et, après avoir changé les plombs deux fois à la cave parce qu'il n'y avait plus de lumière dans la maison, les petites lampes se sont allumées et c'était vraiment très joli, surtout quand on a ajouté les guirlandes.

Maman est venue voir et elle a dit que c'était très bien, mais que maintenant il fallait agrandir la table de la salle à manger pour que tous les invités puissent s'asseoir autour. Papa était embêté, parce que pour faire ça, il a besoin de quelqu'un qui l'aide. Moi, j'ai proposé à papa de l'aider, mais papa m'a dit que j'étais trop petit et trop maladroit et que je ne ferais que des bêtises.

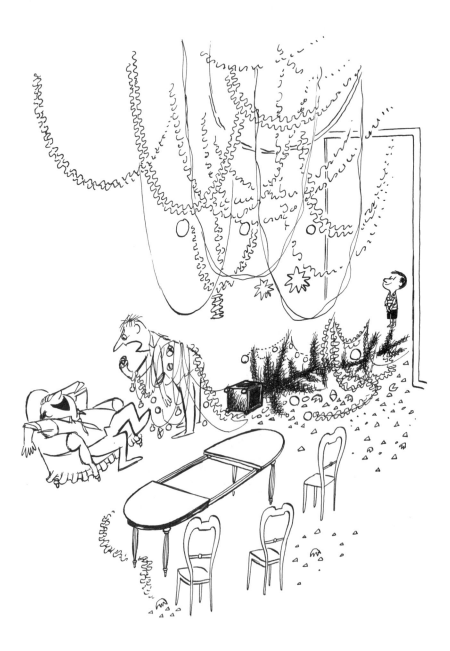

– Tant pis, a dit papa, je vais aller chercher ce raseur de Blédurt.

Papa a ouvert la porte, et il s'est cogné contre M. Blédurt qui allait sonner.

– Qu'est-ce que tu fais ici ? a demandé papa.

– Je venais pour te donner un coup de main, a répondu M. Blédurt, je suis sûr que tu ne t'en sortiras pas tout seul.

– De quoi ? a demandé papa, je n'ai pas besoin de toi, grotesque, retourne dans ta niche, jusqu'à ce soir.

– Mais papa, j'ai dit, tu devais aller chercher M. Blédurt pour agrandir la table.

Alors là, papa n'a pas été juste, je l'aime beaucoup, mais il n'a pas été juste. Il m'a dit de me mêler de ce qui me regardait et qu'il n'avait besoin de personne. M. Blédurt riait beaucoup et je crois que ça ne faisait pas plaisir à papa, et puis, maman qui était dans la cuisine a crié :

– Alors, tu es allé le chercher, M. Blédurt, pour qu'il t'aide avec la table ?

Je n'ai jamais vu rire quelqu'un comme riait M. Blédurt, ça m'a donné envie de rire aussi, le seul qui ne riait pas, c'était papa.

– Bon, bon, il a dit, au lieu de faire le comique, viens me donner un coup de main avec cette table.

La table de notre salle à manger, c'est une table ronde. Pour l'agrandir, on tire de chaque côté et elle se sépare en deux, dans la place vide, on met des planches que maman appelle des rallonges. Elle est très dure à ouvrir, la table, elle se coince. Papa s'est mis d'un côté, M. Blédurt s'est mis de l'autre et il continuait à rire.

– Arrête de rire, a dit papa, et tire quand je te le dirai.

Et puis, papa a crié « Ho hisse » et la table s'est ouverte d'un seul coup, pfuit ! Papa est tombé dans l'arbre de Noël et M. Blédurt sur le tapis, où il a continué à rire. Maman est arrivée en courant et elle a dit qu'elle aurait dû prévenir qu'elle avait fait graisser les montants de la table.

Nous sommes allés relever papa qui était assis dans l'arbre et qui avait tout plein de guirlandes et de boules de verre sur la tête ; ce qui est dommage, c'est que les petites lampes se sont éteintes. « On dirait un gros cadeau », a dit M. Blédurt, et il s'est mis à tousser parce qu'il s'était étranglé en riant. Papa s'est levé de l'arbre tout fâché et il a dit à M. Blédurt : « Ah, oui ? », et M. Blédurt a répondu : « Oui. » Et ils ont commencé à se pousser un peu l'un l'autre jusqu'à ce que maman leur ait crié « Assez ! ». On a bien rigolé.

Ça a été vite fait d'arranger l'arbre, parce qu'il ne restait plus beaucoup de boules de verre ; ce qui a été le plus long, ça a été d'aller chercher des nouveaux plombs pour que les lampes se rallument : à la maison, il n'y en avait plus.

Après ça, papa s'est mis à décorer la salle à manger avec des guirlandes et des branches de houx, ça pique, mais c'est joli.

– Je n'ai pas besoin de toi, a dit papa à M. Blédurt.

Mais M. Blédurt, qui est très gentil, a insisté pour rester.

Papa est monté sur l'escabeau pour planter des petits clous près du plafond, pour accrocher les guirlandes.

– Attention ! a dit M. Blédurt, c'est une cloison en plâtre, tu vas faire des trous.

Mais papa lui a dit qu'il connaissait sa maison et qu'il n'avait pas besoin de conseils. Mais moi, j'ai vu que papa se méfiait, il a planté le premier clou en faisant très attention et le clou s'est très bien planté. « Ha ! a dit papa, tu vois ? », et il a donné un gros coup de marteau pour planter le deuxième clou et ça a fait un trou terrible dans le mur, avec plein de plâtre qui est tombé sur M. Blédurt, mais ça ne l'a pas empêché de rire, je ne l'ai jamais vu aussi gai, M. Blédurt. Papa s'est mis à crier qu'il allait faire un malheur et maman est venue demander ce qui se passait et papa a mis la main sur le trou qu'il avait fait dans le mur et il a dit que tout allait bien, qu'il demandait simplement qu'on le laisse travailler tranquille. J'allais expliquer à maman, mais papa

m'a fait des gros yeux et j'ai compris qu'il préférait que je me taise.

– Bon, a dit maman, je retourne dans ma cuisine, tu peux enlever ta main, le plâtre est tombé aussi de l'autre côté du mur.

Quand maman est sortie, papa a demandé à M. Blédurt de s'en aller et M. Blédurt a dit d'accord, que de rire comme ça, c'était mauvais pour sa tension.

– Si on mettait du papier collant, pour faire tenir les guirlandes ?, j'ai demandé et papa a été très content, il m'a dit que c'était une très bonne idée et qu'on voyait bien que j'étais son fils.

L'ennui c'est que ça ne tenait pas très bien, les guirlandes avec le papier, et, quand papa a eu fini de fixer les guirlandes, tout a lâché.

Papa est descendu de l'escabeau, il s'est assis, il a mis sa tête dans ses mains et il n'a rien dit.

Comme j'ai vu qu'il se reposait, j'en ai profité pour lui demander si je pouvais rester avec les invités ce soir, pour le réveillon. « Non », a dit papa. Alors moi, j'ai dit que ce n'était pas juste, que j'étais très malheureux et qu'il n'y avait pas de raison que j'aille me coucher et papa m'a dit que si je continuais comme ça, il allait me donner une fessée, alors je me suis mis à pleurer.

Maman est venue en courant de la cuisine et elle a dit qu'avec tout le bruit que nous faisions, elle ne serait jamais prête pour ce soir et que la dinde allait brûler et comment ça se fait que les guirlandes ne sont pas encore posées. Ça, ça ne lui a pas plu, à papa. Il s'est mis à crier que tout le monde le rendait fou et moi, j'ai dit que si je ne pouvais pas rester ce soir avec les invités, j'allais quitter la maison.

Maman m'a pris dans ses bras et elle m'a expliqué que si je ne me couchais pas, le Père Noël ne pourrait pas venir me mettre des beaux cadeaux dans les souliers. Ça, ça m'a fait réfléchir, et j'ai dit que bon, d'accord, je voulais bien. Maman m'a embrassé et avant de retourner dans la cuisine, elle a dit à papa que les invités allaient arriver dans deux heures, alors qu'il ferait bien de se dépêcher. « Je serai prêt », a dit papa.

Il a eu un drôle de travail, papa. Il a recollé les guirlandes et ça n'a pas été facile, parce qu'elles ne tenaient toujours pas très bien et quand maman a ouvert la porte de la cuisine pour voir si c'était prêt, le courant d'air les a fait tomber de nouveau et finalement on a arrangé ça avec des punaises à dessins. Après, papa a dû aller chercher les bouteilles de vin dans la cave et puis, il a fallu qu'il redescende pour changer les plombs parce que notre arbre de Noël s'est renversé quand papa a accroché les cadeaux aux branches, et puis, papa a dû balayer les dégâts, c'était tout sale par terre. Mais il est formidable, papa : il a tout terminé à temps !

Ce qui est dommage, c'est qu'il était très fatigué et qu'il est allé se coucher, comme moi, avant que les invités arrivent. Mais enfin, papa n'a rien perdu, parce que moi, j'ai mis ses chaussures devant le radiateur de sa chambre à coucher. Comme ça, il aura de beaux cadeaux, comme moi et comme vous tous, j'espère !

JOYEUX NOËL !

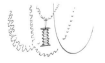

Les patins

Il y a des copains qui amènent des tas de choses à l'école. Cyrille, par exemple, une fois, avait apporté une souris blanche, mais ça n'avait pas plu du tout à la maîtresse qui s'est mise à faire peur à la souris en criant. Cyrille a été renvoyé de l'école avec la souris, et c'est dommage, parce que nous, la souris, on l'aimait bien, la souris, elle était chouette. Eudes, qui est très fort, était venu une fois avec des gants de boxe, mais ça, on l'a trouvé moins rigolo, parce qu'à la récré il a passé son temps à taper sur nos nez. Alceste, un autre copain, il apporte toujours des choses à manger, il ne nous en offre jamais, parce qu'il dit qu'il n'y en a pas assez pour lui. Son banc, en classe, on le reconnaît parce que c'est plein de miettes dessus.

Clotaire nous a fait rigoler un jour parce qu'il avait apporté un mot d'excuse de son papa, pour expliquer pourquoi il n'avait pas fait ses devoirs, mais la maîtresse a puni Clotaire parce qu'elle a reconnu ses fautes d'orthographe. Depuis, Clotaire travaille dur sa grammaire pour ne pas faire de fautes dans les mots d'excuse qu'il écrira quand il sera prêt. Agnan, le premier de la classe, tout ce qu'il nous a apporté, c'est la rougeole et c'était chouette parce qu'on reste trois semaines à la maison quand on l'a. Ce qui est dommage, c'est qu'on ne peut l'avoir qu'une fois, mais moi, il me manque encore les oreillons et la varicelle.

Mais, le plus chouette de tous, c'est Geoffroy. Parce que lui, il apporte souvent des jouets à l'école. Son papa est très riche et il lui donne tout le temps des choses. C'est pour ça, quand on a vu arriver Geoffroy ce matin avec un gros paquet sous le bras, on lui a tous demandé : « Qu'est-ce que c'est, Geoffroy ? Qu'est-ce que c'est ? »

– Vous le verrez à la récré, nous a dit Geoffroy qui aime bien faire le mystérieux.

Alors, on a attendu la récré avec autant d'impatience que les autres jours et quand la cloche a sonné, on est tous sortis en courant, sauf Geoffroy, qui est arrivé dans la cour le dernier, en marchant tout lentement, qu'il est bête, à la fin ! Quand Geoffroy a vu qu'on était tous autour de lui, il a ouvert le paquet et on a vu ce qu'il y avait dedans : des patins ! Des patins à roulettes tout neufs qui brillaient avec des roues larges, celles qui roulent le mieux ! « Tu nous les prêtes ? », on a crié. Mais Geoffroy a fait semblant de ne pas nous entendre, il a mis ses patins et il a commencé à rouler. Il partait vite comme tout et il faisait la longueur de la cour et nous, on le suivait tous en courant et en criant : « Tu me les prêtes, dis ? Tu me les prêtes ? »

On s'amusait bien avec les patins de Geoffroy.

Et puis, le surveillant est arrivé en courant. Le surveillant, on l'appelle le Bouillon, parce qu'il dit tout le temps « Regardez-moi dans les yeux », et dans le bouillon, il y a des yeux : c'est les grands qui ont trouvé ça.

– Dites donc, a demandé le Bouillon à Geoffroy, qui vous a permis d'apporter ces engins à la récréation ?

– Mais m'sieur, a répondu Geoffroy, je ne fais pas de mal, c'est pas défendu, m'sieur.

– Peut-être, a dit le Bouillon, mais c'est dangereux, vous allez tomber et vous écorcher les genoux, vous serez bien avancé après.

– Mais non, m'sieur, c'est pas dangereux, m'sieur, vous voulez essayer ?

– Ne vous fichez pas de moi, mon petit ami, a dit le Bouillon ; bon, allez, je vous surveille, mais ne vous plaignez pas si vous vous faites mal.

Et le Bouillon est parti s'occuper des grands qui jouaient à la balle au chasseur avec des pierres.

– Alors, espèce de chouchou, a dit Eudes à Geoffroy, quand nous, on te demande les patins, tu ne veux rien savoir, mais au Bouillon, tu les lui offres !

– Chouchou ? a dit Geoffroy, répète un peu.

– Chouchou, a répété Eudes, et il a donné un coup de poing sur le nez de Geoffroy, qui est parti en arrière et qui est tombé plus loin assis par terre.

– Attends que j'enlève mes patins et tu vas voir ! a dit Geoffroy ; il a enlevé ses patins, il s'est mis debout et Eudes lui a donné un autre coup de poing sur le nez.

– Ça vaut pas, a crié Geoffroy, je ne regardais pas !

Ce n'est pas vrai, ça, moi j'ai bien vu que Geoffroy regardait, la preuve c'est que quand il a vu arriver le poing d'Eudes, il s'est mis à loucher.

– Bon, espèce de guignol, a dit Eudes, tu me les prêtes, oui ou non, ces patins ?

– Oui, a dit Geoffroy, qui est bon camarade et qui n'est pas fou.

Eudes a mis les patins et il est tombé. Il a essayé de se relever et il est tombé de nouveau.

– Ben quoi, a dit Geoffroy, tu ne sais pas en faire ?

– Et alors, ça te dérange ? a dit Eudes qui n'avait pas l'air content.

Il nous a demandé de l'aider à se relever et quand on l'a mis debout, il a fait des tas de gestes avec les bras, il a crié : « Ne me lâchez pas, ne me lâchez pas ! », et il est tombé de nouveau.

– Allez, rends-moi ces patins, a dit Geoffroy.

Mais Eudes ne voulait pas lui rendre les patins avant de savoir en faire. Alors Geoffroy a été obligé de lui apprendre.

On a bien rigolé. Geoffroy tirait Eudes par un bras, moi par l'autre et tous les copains poussaient. Eudes avançait avec les jambes écartées, et il criait : « Pas si vite ! Pas si vite ! »

Et puis Rufus a dit : « Eh bien les gars ! Si on jouait aux billes ? » Ça, c'était une bonne idée, alors, on a lâché Eudes qui criait et qui faisait des tas de gestes et qui est allé cogner contre le ventre du Bouillon.

– Ça fait un moment que je vous observe, a dit le Bouillon, je n'aime pas ces façons de jouer. Je confisque les patins. Donnez-les-moi.

Eudes a enlevé les patins et il avait l'air plutôt content de s'en débarrasser, mais un à qui ça n'a pas plu, c'est Geoffroy. Quand le Bouillon est parti avec les patins sous le bras, Geoffroy a dit à Eudes :

– C'est de ta faute si le Bouillon a confisqué les patins !

– Et alors, a dit Eudes, qu'est-ce que tu veux que je fasse ?

– Va les lui demander, sinon, je le dirai à mon papa, qui le dira à ton papa et tu seras puni !

– A ton papa, je lui donnerai un coup de poing sur le nez, a dit Eudes.

– Essaye un peu, a dit Geoffroy, et Eudes a essayé sur Geoffroy.

Le nez de Geoffroy était drôlement rouge avec tout ce qu'il avait reçu pendant la récré. Le Bouillon est arrivé en courant.

– Vous n'avez pas fini de vous battre ? il a demandé.

– M'sieur, m'sieur, a dit Geoffroy, vous me les rendez les patins ? Vous me les rendez, dites ?

– Mon petit ami, a dit le Bouillon, regardez-moi bien dans les yeux. Quand je dis quelque chose, ce n'est pas pour rire. Ces patins sont dangereux, je ne veux pas que vous jouiez avec. Je ne veux pas que vous rentriez avec des genoux ensanglantés. Les patins vous seront rendus à la fin de la classe, pas avant.

Et il est allé sonner la fin de la récré.

Geoffroy ne les a pas eus, les patins, à la fin de la classe. Parce que le Bouillon était à l'infirmerie. Il paraît qu'après la récré, il était tombé dans la cour et il s'était fait très mal au genou.

Notre maison

JE VOUS AI DIT, je crois, que dans le quartier il y a un terrain vague terrible, où on va jouer avec les copains. Dans le terrain vague, il y a des tas de choses : une vieille voiture sans roues, des boîtes vides, des pierres, des chats ; c'est formidable et on s'y amuse bien.

Là, on avait décidé, avec les copains, de construire une maison. Une maison rien que pour nous, où on ne laisserait entrer personne d'autre, où on y mangerait des choses qu'on ferait cuire nous-mêmes – ça, c'était une idée d'Alceste –, où on pourrait aller même quand il pleut ; ça serait drôlement chouette !

– Bon, avait dit Geoffroy, on se retrouve sur le terrain cet après-midi. Que chacun apporte de quoi construire la maison.

Quand je suis arrivé dans le terrain vague, presque tous les copains y étaient déjà. Moi, j'avais apporté ma pelle et mon seau que j'avais à la plage, en vacances ; Eudes avait apporté un marteau et Maixent avait un tas de clous dans sa poche. Les clous étaient un peu rouillés et tordus, mais Maixent nous a expliqué que les bons clous étaient plantés dans les murs chez lui, et qu'il ne pouvait tout de même pas les arracher pour construire une autre maison. Joachim n'avait rien apporté, Clotaire non plus ; Alceste était venu avec deux croissants, mais ce n'était pas pour la maison, c'était pour lui. Et puis, Rufus est arrivé très content.

— Regardez ce que j'apporte, il a dit, et il nous a montré un bouton de porte.

— Et qu'est-ce que tu veux qu'on fasse avec ça ? a demandé Eudes.

— Ben quoi, a dit Rufus, c'est pour la maison. T'as déjà vu une maison sans bouton de porte ?

Il avait raison, Rufus, et puis Geoffroy est arrivé avec une planche sous le bras.

— Papa n'a pas voulu que j'en prenne d'autres, a dit Geoffroy ; pourtant, il y en a plein derrière le garage. Mais, ça ne fait rien, elle est chouette, cette planche.

— Elle n'est pas bien grande, a dit Clotaire.

— Ah oui ? a dit Geoffroy, et toi, qu'est-ce que tu as apporté pour la construire, la maison ? Hein ?

— C'est vrai, ça, a dit Rufus ; nous, on amène des choses drôlement utiles, et vous qui n'avez rien, vous êtes là à rouspéter !

— Bon, j'ai dit, on ne va perdre du temps à discuter, il faut la faire, notre maison !

Et avec ma pelle, j'ai commencé à creuser par terre.

— Et pourquoi est-ce que tu fais un trou ? m'a demandé Joachim.

— T'as jamais vu que pour construire une maison, on commence par faire un trou ? j'ai répondu.

— Possible, a dit Maixent, mais pourquoi tu le fais là, le trou ? On n'a pas encore décidé où on va la faire, la maison !

— On va la faire ici, j'ai dit, et j'ai continué à creuser le trou, et c'était pas facile à cause des pierres.

— Tu peux le creuser là, ton trou, a dit Maixent. Nous, la maison, on va la faire ailleurs.

— Tu veux un coup de pelle ? j'ai demandé ; mais Joachim a dit que c'était idiot de commencer à se battre, et qu'elle ne sera jamais finie, la maison, si on ne s'y mettait pas !

– T'as raison, a dit Maixent, alors la maison, on va la faire là-bas.

– Fais la maison là-bas si tu veux, moi je fais ma maison ici, j'ai dit.

Et je me suis remis à creuser.

Maixent, ça ne lui a pas plu ce que j'avais dit. Alors, il est venu vers moi, et je lui ai crié :

– Sors de ma maison ! T'as qu'à aller dans la tienne !

– Ta maison, ta maison ! il a dit Maixent ; d'abord, c'est pas ta maison, c'est notre maison ; et puis j'y entrerai si je veux !

Alors il est entré et il m'a donné une gifle, et moi je lui ai donné un coup de pelle sur la tête. Il a été très étonné, Maixent, de recevoir un coup de pelle sur la tête. Et puis, nous nous sommes battus, mais Eudes a dit qu'on s'arrête et qu'on se mette au travail sérieusement.

– La maison, on la fait comment ? a demandé Eudes. Un ou deux étages ?

Clotaire s'est mis à rigoler.

– Tu me fais rigoler, il a dit. Si on fait une maison à deux étages, avec quoi on va faire l'escalier ?

Il avait raison, Clotaire ; un escalier, ça doit être difficile à faire, surtout à cause des marches. Mais il ne faut jamais dire à Eudes qu'il vous fait rigoler, parce que Eudes est très fort et il aime bien donner des coups de poing sur le nez des copains ; et quand vous lui dites qu'il vous fait rigoler, ça ne rate pas. Et Clotaire a eu de la veine, parce que Eudes n'a pas tapé avec le marteau.

Là, on a été un peu tranquilles, surtout avec Clotaire qui boudait et qui saignait du nez.

– La maison, a dit Joachim, il faudrait la faire avec deux pièces : une entrée et un salon. Pour le salon, j'essayerai d'apporter le fauteuil qui est dans ma chambre. Avant que le cuir soit crevé, il était dans le salon, chez nous, et il est encore très bien, le fauteuil. Et puis on pourrait mettre des tableaux sur les murs, et puis un tapis par terre, et puis des lampes avec des abat-jour…

– Et la cuisine ? a demandé Alceste. Il n'y aura pas de cuisine dans la maison ?

– Tu nous embêtes avec ta cuisine, a dit Joachim.

– C'est toi qui nous embêtes avec tes fauteuils crevés ! a répondu Alceste.

Et ils sont allés plus loin pour discuter, parce qu'Alceste aime mieux discuter que se battre, surtout quand il n'a pas encore fini de manger ses croissants.

– Dites, les gars ! a crié Geoffroy, on s'y met à la maison, ou on ne s'y met pas ? Il va se faire tard !

– T'as raison, a dit Rufus. Alors, voilà : la porte, on va la mettre de ce côté, ici.

– On s'en fiche de ta porte, a dit Geoffroy. Ce qu'il faut commencer, c'est les murs.

Et puis Geoffroy a mis sa planche par terre, à côté de mon trou.

– Et comment tu vas entrer dans la maison, si tu n'as pas de porte, je vous prie ? a demandé Rufus.

– Je n'ai pas dit qu'il n'y aurait pas de porte, imbécile, a répondu Geoffroy. Je dis qu'on ne commence pas une maison par la porte !

– Qui est un imbécile ? a demandé Rufus, et Geoffroy lui a donné une grosse claque.

Rufus, il s'est mis en colère, et il s'est battu avec Geoffroy en criant :

– Alors ? Dis-le maintenant si tu l'oses ! Dis-le ! Qui est un imbécile ?

Et Geoffroy lui répondait :

– Toi ! Toi ! Toi ! comme ça, tout le temps.

Nous, on s'est mis autour pour les regarder, parce que comme ils sont de force égale, c'est intéressant quand Geoffroy et Rufus se battent !

Et puis, ils se sont arrêtés et Rufus a dit :

– Puisque c'est comme ça, je m'en vais ! Et pour le bouton de la porte, vous repasserez.

– Ah oui ? a dit Geoffroy. Eh bien ! La planche, je l'emporte aussi !

Et ils sont partis tous les deux, fâchés, chacun de son côté.

Alors nous, nous nous sommes regardés, et puis nous sommes partis à notre tour.

Parce que c'est vrai : comment voulez-vous construire une maison sans matériaux ?

Chez le coiffeur

MAMAN A PASSÉ SA MAIN SUR MES CHEVEUX et elle a dit : « Mon Dieu, quelle tignasse ! », et puis après, elle m'a dit : « Tu es un grand garçon, maintenant, n'est-ce pas Nicolas ? » Moi, je n'aime pas trop quand maman me dit que je suis un grand garçon, parce que, tout de suite après, j'ai de gros ennuis. Mais, je ne pouvais pas dire non, c'est vrai que je suis devenu très grand : pour manger, à table, je n'ai presque plus besoin de coussin, sauf pour manger les macaronis, parce que là, il faut voir ce qu'on fait.

– Eh bien, m'a dit maman, puisque tu es un grand garçon, tu vas aller chez le coiffeur, tout seul !

Moi, je n'aime pas aller chez le coiffeur, il est habillé en blanc, comme les dentistes et les docteurs et puis il a des ciseaux, des rasoirs et des machines à tondre qui font froid quand ça vous touche et ça peut vous couper. Et puis, on a des bouts de cheveux sur le nez et dans les yeux et on ne peut pas les enlever, à cause de la serviette et aussi parce qu'il ne faut pas bouger, sinon, couic, avec le rasoir. Et, quand on sort du coiffeur, on a l'air d'un guignol, avec pas de cheveux autour des oreilles, et ceux sur la tête tout collés.

– Maman, j'ai dit, je ne veux pas aller au coiffeur !

– CHEZ le coiffeur, m'a dit maman, et tu vas y aller tout de suite, si tu ne veux pas que je me fâche !

Maman, elle n'avait pas l'air de rigoler. Je suis sorti de la maison pour aller CHEZ le coiffeur, comme dit maman. Elle m'avait donné des sous, maman, et elle m'avait dit qu'il fallait que je demande qu'on me dégage les oreilles et assez court devant. Dans la rue, j'ai rencontré Alceste, Rufus et Clotaire, trois copains de l'école, qui jouaient aux billes. « Où tu vas ? » m'a demandé Alceste. « Chez le coiffeur », j'ai répondu. Alors, Alceste, Rufus et Clotaire ont décidé de m'accompagner, ils en avaient assez de jouer et Alceste avait gagné toutes les billes.

Quand nous sommes arrivés chez le coiffeur, les deux fauteuils étaient pleins. Les coiffeurs nous ont regardés, ils ont ouvert des gros yeux et un a dit : « Non ! Oh non ! », et l'autre lui a répondu : « Courage, Marcel ! »

Comme il fallait attendre, nous avons jeté un coup d'œil sur les revues qui étaient sur une table et qui avaient plein de cheveux dans les pages. Les revues n'étaient pas très intéressantes et Clotaire était en train de faire un avion avec une des pages qu'il avait arrachées, quand le coiffeur qui s'appelait Marcel, d'une voix toute tremblante, a dit : « Bon, je suis libre, qui est le premier d'entre vous ? » Moi, j'ai répondu que j'étais le premier, et non seulement que j'étais le premier, mais que j'étais le seul. M. Marcel a regardé mes trois copains et il a demandé : « Et eux ? »

– Nous, on vient pour rigoler, a répondu Alceste.

– Oui, a dit Clotaire, quand Nicolas sort de chez vous, il a l'air d'un guignol, on veut voir comment vous faites.

M. Marcel est devenu tout rouge.

– Voulez-vous partir d'ici tout de suite ! Ce n'est pas la cour de récréation, ici !

Moi je suis sorti, tout seul, mais M. Marcel m'a rattrapé sur le trottoir.

– Pas toi, il a dit M. Marcel, les autres !

Mais Rufus, Clotaire et Alceste ne voulaient pas partir de la boutique.

– Si vous nous faites sortir, a dit Rufus, je me plaindrai à mon papa qui est agent de police !

– Et moi, a dit Alceste, je le dirai à mon papa à moi, qui est un ami du papa de Rufus !

L'autre coiffeur s'est approché et il a dit :

– Du calme, du calme. Vous pouvez rester, les enfants, mais vous allez être sages, n'est-ce pas ?

– Ben oui, quoi, a dit Clotaire.

– Tu vois, Marcel, a dit le coiffeur, il faut du tact, du doigté et tout se passera très bien.

M. Marcel a poussé un gros soupir et il m'a regardé avec une espèce de sourire tout triste. M. Marcel a mis une petite planche entre les bras du fauteuil, il m'a pris dans ses bras à lui, il a fait « Youp-là ! » et il m'a assis sur la petite planche.

– Alors mon petit, il m'a demandé, tu aimes bien aller au coiffeur ?

– CHEZ le coiffeur, je lui ai répondu.

M. Marcel, il s'est mis à rire comme papa quand maman le gronde, il a dit que j'étais très intelligent et combien ça faisait deux fois deux. Je lui ai dit que ça faisait quatre et ça a paru lui faire plaisir, tellement plaisir que je lui ai dit que quatre fois trois ça faisait douze et sept fois cinq, trente-cinq. Je n'ai jamais vu quelqu'un qui ait l'air d'aimer les multiplications autant que M. Marcel. Rufus et Alceste ont voulu se montrer, eux aussi, et ils ont commencé à réciter leurs tables, Clotaire, il ne disait rien parce que c'est le dernier de la classe, surtout en calcul. « Bon, assez, ça va, silence ! » a dit M. Marcel. « Doigté, Marcel », a dit l'autre coiffeur qui s'occupait à raser un monsieur en lui mettant des tas de savon sur la figure. « On dirait un gâteau à la crème, votre client ! », a dit Alceste, qui aime manger.

Les morceaux de peau qu'on voyait de la figure du client, là où il n'y avait pas de savon, sont devenus tout rouges. « Dépêchez-vous, Louis », a dit le client et je crois qu'il avait avalé un peu de

savon, parce que juste quand il parlait, le coiffeur lui passait le blaireau sous le nez.

– Comment il faut que je te les coupe, les cheveux ? m'a demandé M. Marcel.

– Très longs sur les joues, comme les cow-boys, a dit Rufus.

– Non, tout rasés, comme les catcheurs à la télé, a dit Clotaire.

– Taisez-vous ! a crié M. Marcel. Je ne vous ai rien demandé, à vous !

– Je n'ai rien dit ! a dit Alceste.

– Doigté, Marcel ! a dit M. Louis.

– Ah, tais-toi ! lui a répondu M. Marcel.

– Dégagez les oreilles et assez court devant, j'ai dit.

– Hein ? a dit M. Marcel, qui n'avait plus l'air de bien comprendre ce qui se passait.

M. Marcel a pris les ciseaux et il a commencé à faire clic-clic au-dessus de ma tête, mais il s'est arrêté parce qu'il a entendu clic-clic derrière lui. C'était Alceste qui avait pris des ciseaux et qui s'amusait à découper les revues avec Rufus et Clotaire.

– Qu'est-ce que vous faites ? a crié M. Marcel.

– Des avions, a répondu Alceste.

Mais M. Marcel n'avait pas l'air d'aimer les avions en papier, il a demandé à Alceste de lui rendre les ciseaux et de se tenir tranquille.

– Si on ne peut plus rigoler, a dit Rufus.

– Oui, parce qu'avec la tondeuse, pour couper le papier, ce n'est pas facile ! a dit Clotaire.

– Rends-moi ça ! a crié M. Marcel et il a pris la tondeuse à Clotaire.

– Cesse de t'agiter, a dit M. Louis, sinon je vais finir par couper une oreille à mon client.

– Mais, mais, mais, dites donc ! a crié le client qui avait encore, pourtant, toutes ses oreilles, mais qui avait l'air de se méfier.

– Vous me les coupez les cheveux ? j'ai demandé à M. Marcel : c'est vrai, il était là à rigoler avec mes copains et moi j'attendais.

M. Marcel a commencé à me couper les cheveux. Alceste, Rufus et Clotaire s'étaient mis derrière lui et regardaient.

– Tu ne trouves pas qu'il lui coupe courts ? a demandé Alceste.

– Non, ce qui est embêtant, c'est qu'il ne coupe pas pareil de tous les côtés, a répondu Clotaire.

– Silence ! a crié M. Marcel, et puis on a entendu « Ouille ! » C'était le monsieur qu'on rasait, qui avait crié.

– Je m'excuse, Monsieur, a dit M. Louis, c'est mon collègue qui m'a fait sursauter.

Le monsieur n'a pas excusé du tout, il a demandé qu'on lui essuie le savon, qu'il voulait s'en aller tout de suite.

– Mais, Monsieur, a dit M. Louis, vous n'êtes rasé que d'un seul côté !

– C'est le côté qui saigne, a dit le monsieur, restons-en là.

Et le monsieur s'est essuyé la figure et il est parti.

– Vous avez des drôles de clients, a dit Rufus.

M. Louis a marché vers lui, mais M. Marcel a dit : « Doigté, Louis ! », et M. Louis s'est arrêté et j'ai cru qu'il allait marcher sur M. Marcel.

M. Marcel a fini de me couper les cheveux, pendant que Rufus s'amusait à mouiller Clotaire avec le vaporisateur et que M. Louis essayait de récupérer le talc qu'Alceste lui avait pris. Ils rigolaient tous drôlement.

Ils ne devaient pas s'amuser souvent, M. Louis et M. Marcel, parce que quand nous sommes partis, ils sont restés tout tristes, assis dans leurs fauteuils, en se regardant dans la glace, sans rien dire, les pauvres.

Il faudra que l'on revienne très vite, pour les consoler !

Le magicien

DIMANCHE APRÈS-MIDI, il pleuvait, et M. et Mme Blédurt sont venus jouer aux cartes avec papa et maman. M. Blédurt, c'est notre voisin, il est rigolo et il est gros. Quelquefois, il me fait penser à Alceste quand il sera grand. Mme Blédurt, c'est la femme de M. Blédurt.

Moi, j'aime assez rester à la maison, quand il pleut et qu'il y a du monde, parce que maman prépare des tas de choses chouettes pour le goûter. Et puis, ce qui est amusant, c'est que papa et M. Blédurt se disputent tout le temps, et chacun dit que l'autre n'y connaît rien aux cartes, et Mme Blédurt demande si on joue ou si on parle, et maman dit qu'ils sont insupportables.

Après le goûter (brioches, tarte aux pommes, éclairs au chocolat et au café – j'aime ceux au chocolat – et croissants), papa, maman, M. et Mme Blédurt ont continué à jouer, et quand ils ont eu fini, M. Blédurt était drôlement content parce qu'il avait gagné.

– Tiens, Nicolas, il m'a dit, je vais te faire un tour de magie avec les cartes.

– Ah non, Blédurt, a crié papa, tu ne vas pas nous faire ces vieux tours de cartes que tout le monde connaît !

– Je te fais remarquer, Machin, a dit M. Blédurt, que je m'adresse à ton fils. Tu veux que je te montre ma magie, mon lapin ?

– Oh oui ! j'ai dit.

– Quand on joue aux cartes comme tu le fais, a dit papa, on a intérêt à changer de sujet.

M. Blédurt a regardé papa, il a haussé les épaules, il a regardé en l'air, il a fait « Non » avec la tête, il a pris les cartes, il les a mélangées, il m'a tendu le paquet, et il m'a dit :

– Tiens, mon pauvre petit, choisis une carte, n'importe laquelle, regarde-la bien, ne me dis pas ce que c'est, et remets-la dans le paquet.

– On la connaît, ta magie, a rigolé papa.

Moi, j'ai pris une carte ; c'était le dix de carreau, et M. Blédurt a ouvert le paquet de cartes pour que je puisse remettre le dix de carreau dedans.

– Voyons, voyons, voyons, a dit M. Blédurt.

Il a soufflé sur le paquet de cartes, et puis il a commencé à regarder les cartes, il en a sorti une, et il m'a demandé :

– C'est celle-là ?

Et devinez laquelle c'était ? Le dix de carreau !

– Oui, j'ai crié.

– Bien sûr ! a dit papa.

– Machin, tu commences à m'énerver sérieusement, a dit M. Blédurt.

– Il est l'heure de rentrer, a dit Mme Blédurt.

Et M. et Mme Blédurt sont partis.

Moi, je le trouvais terrible, le tour de magie de M. Blédurt, et à l'école, quand je le ferai, ça épatera les copains. J'ai pris les cartes, comme avait fait M. Blédurt, et j'ai tendu le paquet à papa.

– Choisis une carte, j'ai dit à papa.

– Laisse-moi tranquille, Nicolas, m'a répondu papa.

– Ben, choisis une carte, j'ai dit. Je vais la deviner.

– Ecoute, Nicolas, m'a dit papa, j'ai vu assez de cartes pour aujourd'hui, alors tu vas être un gentil petit garçon, et tu vas aller jouer tout seul.

Alors là, c'était drôlement pas juste ! C'est vrai quoi, moi, on m'oblige à rester le dimanche à la maison, tout le monde a le droit de jouer aux cartes sauf moi, et si on ne m'aide pas pour la magie, alors je pourrai pas faire le coup du dix de carreau aux copains. Et j'ai commencé à pleurer, c'est vrai, quoi, à la fin, sans blague !

– Tais-toi, Nicolas, m'a dit papa.

– Il se passe quelque chose ? a crié maman qui était dans sa chambre.

– Mais non, mais non, a répondu papa.

Et puis, il m'a dit :

– Bon, bon, cesse de pleurer. Donne-moi une carte.

Alors, j'ai donné une carte à choisir à papa. Il l'a regardée, il l'a remise dans le paquet, j'ai soufflé sur le paquet, j'ai cherché le dix de carreau, et j'ai demandé :

– C'est celle-là ?

– Non, a dit papa.

– Comment non ? je lui ai dit.

– Eh bien non, m'a répondu papa. C'était le deux de trèfle.

– Mais ça vaut pas ! j'ai crié. Avec M. Blédurt, ça marchait !

– Ah ! Nicolas, tu vas me laisser tranquille ! Compris ? a crié papa.

Alors, je me suis mis à pleurer, et maman est arrivée en courant.

– Ça faisait longtemps, a dit maman. Qu'est-ce qu'il y a cette fois-ci ?

– Il y a, a expliqué papa, que ton fils m'en veut parce que j'ai pris le deux de trèfle au lieu du dix de carreau. Ce n'est tout de même pas de ma faute, non ?

– Il le fait exprès ! j'ai crié.

– A qui crois-tu parler, Nicolas ? m'a demandé papa. A un de tes petits copains de l'école ?

– Un peu de calme, a dit maman. Si vous voulez que je prépare le dîner, il me faut un peu de calme. Alors, expliquez-moi ce qui se passe. Tranquillement. Sans crier.

Moi, j'ai expliqué à maman pour le coup de la magie de M. Blédurt, et qu'avec papa ça ne marchait pas.

– Je vois, a dit maman. Peut-être que papa est fatigué, tout simplement. Essaie avec moi.

J'ai essayé avec maman, elle a choisi une carte, elle l'a remise

dans le paquet, j'ai soufflé sur le paquet, j'ai sorti le deux de trèfle, et j'ai demandé :

– C'est celle-là ?

– Oui, mon chéri, a dit maman.

– Tu dis ça pour me faire plaisir, j'ai dit.

– Nicolas, a crié papa, ce n'est pas un peu fini ? C'est que j'en ai assez, moi !

– Pas la peine de crier, a dit maman. J'ai dit que c'était le deux de trèfle, et c'était le deux de trèfle. Tu as très bien réussi ton tour de magie, bravo, maintenant laisse-moi mettre la nappe.

– C'était pas le deux de trèfle, c'était pas le deux de trèfle, j'ai crié.

– Nicolas ! a crié maman. Tu veux une gifle ?

Alors, je me suis mis à pleurer, j'ai dit que c'était pas juste, que tout le monde s'amusait le dimanche sauf moi, que je ne pourrai pas faire le tour de magie aux copains et que j'allais quitter la maison et qu'on me regretterait bien.

– Ecoute, a dit maman à papa, apprends-lui ce fameux tour, ça le calmera, et qu'on n'en parle plus. Je n'ai vraiment pas envie de crier, ce soir.

– Oh, oui papa ! j'ai dit.

– Moi ? Mais, je le connais pas ! a dit papa.

– Ben, tu as dit à M. Blédurt que tu le connaissais, j'ai dit.

– Je ne m'en souviens plus, a dit papa.

– Eh bien, tu n'as qu'à téléphoner à ton ami Blédurt, a dit maman. Moi, je vais préparer le dîner.

Maman est partie. Papa m'a regardé, il a poussé un soupir, il a dit tout bas quelque chose sur cet imbécile de Blédurt, et il est allé téléphoner.

– Allô ! a dit papa... Blédurt ? Salut... C'est moi... Ouais... Oui, oui, bon, ça va... Ecoute, essaie d'être sérieux pour une fois... Tu vas m'écouter, oui ?... Bon, le petit, ça l'a bien amusé,

68

ton tour de cartes, alors il aimerait bien le faire à ses copains, demain à l'école. Explique-moi un peu comment ça marche, déjà... Comment non ?... Quoi ?... Ah, c'est fin ! Très fin !... Alors, tu me dis ?... Bon... Oui... Oui... C'est ça... Oui... Je vois... D'accord. Bon, salut, Blédurt. Comment ?... Oui, oui, ça va, ça va... Merci ! Mille millions de fois merci ? Tu es content ? Alors, à la niche. Bonsoir.

Papa a raccroché le téléphone. Il est allé chercher le paquet de cartes, et il m'a expliqué :

– Voilà, quand tu demandes qu'on remette la carte dans le jeu, tu regardes la carte qui est juste avant. Tu vois ? Par exemple, là, c'est un cinq de pique... Bon, la carte choisie sera placée là, tout de suite après. Ici, c'est le neuf de cœur. Voilà. C'est facile. Tu as compris ?

– Oui, j'ai dit.

– Eh bien, a dit papa, j'espère que tu es content ; demain, tu pourras faire le tour à tes copains.

– Oh ben non, j'ai dit, c'est de la triche. Il y a un truc.

La composition d'arithmétique

CE MATIN, je ne voulais pas aller à l'école parce qu'on avait composition d'arithmétique. Moi, je n'aime pas les compositions, d'abord parce que ça dure deux heures et qu'on rate une

récré. Et puis aussi parce qu'il faut drôlement étudier avant. Et
puis après, on vous pose des questions que vous n'avez pas étu-
diées. On a des mauvaises notes et à la maison, votre maman
vous gronde et votre papa vous dit que vous n'arriverez jamais à
rien, et que lui, quand il avait votre âge, il était toujours premier
et que son papa à lui était toujours très fier de votre papa à vous.
Et puis encore, quand c'est de l'histoire ou de la géographie, il y
a des fois où on a de la veine et où on vous demande de raconter
les aventures de Jeanne d'Arc, qui sont chouettes, ou les aventures de la Seine, et ça je les savais. Mais en arithmétique, c'est terrible parce qu'il faut penser.

Et c'est pour ça que, lorsqu'il y a composition d'arithmétique,
on essaye tous d'être malades à la maison. Mais les mamans ne
veulent rien savoir et elles nous envoient à l'école. Même qu'une
fois, la maman de Joachim n'a pas voulu le croire quand il a dit

qu'il était malade, et il avait les oreillons ; et on les a tous eus pour les vacances de Pâques.

A l'école, quand je suis arrivé, les copains étaient tous déjà là et ils avaient l'air bien embêtés, sauf Agnan, le chouchou de la maîtresse, qui est toujours le premier et qui aime bien les compositions.

– Moi, a dit Eudes, mon grand frère m'a raconté que quand il allait à l'école, il écrivait les réponses à la maison sur des petits bouts de papier qu'il cachait dans ses poches.

– Et en arithmétique, qu'est-ce qu'il faisait ? a demandé Clotaire.

– Il était dernier, a répondu Eudes.

– Moi, a dit Joachim, mon papa m'a dit que si je n'avais pas une bonne place en composition d'arithmétique, il me confisquait le vélo.

– Et moi, a dit Alceste, qui mangeait un petit pain au chocolat, ma maman m'a dit que si je n'étais pas dans les vingt premiers, elle me privait de dessert.

Il a fait un gros soupir, Alceste, et il a commencé à manger un croissant.

Alors, moi j'ai eu une idée et j'ai dit qu'on devait demander à Agnan de nous passer les résultats, en classe. Agnan, qui repassait la table de 12, m'a entendu et il a dit que jamais de la vie ; et il est parti en chantant : « 12 fois 3, 36 ; 12 fois 4, 48… »

Il est formidable Agnan ! Nous, on l'a rattrapé et on lui a dit :

– Allez, Agnan, sois chouette, quoi, allez, sois chouette !

Mais Agnan ne voulait rien savoir.

– Et si je te donnais un coup de poing sur le nez, a demandé Eudes, tu serais d'accord ?

Mais même là, il n'a pas été d'accord, Agnan, et il a dit que d'abord il avait des lunettes et qu'on n'avait pas le droit de lui taper dessus, et qu'il se plaindrait à ses parents, qui se plaindraient au directeur et qu'on irait tous en prison, et que c'était très laid de tricher.

– Dix billes si tu nous passes les réponses, a dit Clotaire.

Agnan l'a regardé, il a eu l'air de penser un peu, et puis il a fait non de la tête.

– Trente billes, a dit Alceste.

Agnan a enlevé ses lunettes et il les a essuyées.

– Trente-deux billes, a dit Geoffroy, le copain qui a un papa très riche.

– Bon, a dit Agnan, mais vous me les donnez tout de suite.

Nous, on a été d'accord. Geoffroy a donné vingt-huit billes, et les autres copains, on s'est cotisés pour donner le reste. Agnan a mis les billes dans ses poches, et il nous a promis de nous passer un papier avec les résultats des problèmes. On était tous drôlement contents.

– On va tous être premiers ex æquo, a dit Joachim.

Et quand Clotaire lui a demandé ce que ça voulait dire, Joachim lui a répondu que ça voulait dire qu'il allait garder son vélo.

Quand nous sommes entrés en classe et que nous avons été assis, la maîtresse nous a dit de ranger nos livres sous les pupitres, de sortir une feuille de papier, de mettre notre nom en haut et à gauche. Et puis, elle est allée au tableau et elle a commencé à écrire les énoncés des problèmes. Il y en avait un avec deux trains qui partaient chacun d'un côté et la maîtresse voulait savoir quand ils allaient se rencontrer ; un autre avec l'histoire du robinet et de la baignoire qu'on a oublié de boucher ; et dans le troisième, on parlait d'un fermier qui allait vendre des tas d'œufs, de tomates et de pommes de terre au marché.

Ils étaient drôlement difficiles, et nous, on regardait tous Agnan, parce que si Agnan ne savait pas, c'était fichu, pour la composition et pour les billes. Mais Agnan savait ; il écrivait drôlement vite, en tirant la langue et en comptant avec les doigts de la main gauche. Alceste m'a donné un coup de coude et il m'a dit : « C'est gagné ! » Moi, je commençais à être inquiet, parce qu'Agnan n'avait pas l'air de s'occuper de nous, et Geoffroy lui a soufflé :

– Hé !

– Geoffroy ! a crié la maîtresse, au lieu de faire le pitre, vous feriez mieux de chercher la solution de ces problèmes.

Et alors, là, on a vu Agnan qui écrivait des choses sur un petit bout de papier, qu'il a roulé en boule. Il a regardé la maîtresse qui corrigeait des devoirs, il a regardé Geoffroy qui était assis sur le banc à côté, et hop ! il a envoyé le papier à Geoffroy.

– Ce papier ! Agnan, je vous ai vu ! Apportez-moi ce papier ! a crié la maîtresse.

Agnan, il a ouvert la bouche toute grande, et puis il s'est mis à pleurer. Alors, la maîtresse s'est levée et elle a pris le papier qui était sur le pupitre de Geoffroy, et puis elle a dit :

– Bravo, Agnan, bravo ! Je n'attendais pas ça de vous. Je vois que je m'étais trompée sur votre compte et que vous êtes aussi dissipé que vos camarades. Eh bien, sortez, nous verrons ça plus tard. En attendant, vous ne serez pas classé pour cette composition !

Agnan s'est roulé par terre, il a dit que personne ne l'aimait, que c'était de la faute à tout le monde, qu'il allait se plaindre à la police et qu'il allait mourir ; et puis, il est sorti.

Nous, on est restés tous là à regarder la porte avec des yeux ronds. Joachim derrière moi a dit tout bas : « V'là mon vélo qui s'en va. » Et puis la maîtresse nous a dit de ne pas nous occuper de notre camarade et de continuer à rédiger notre composition et que, si elle en attrapait encore un à se dissiper, elle le mettrait en retenue.

Et quand le directeur est venu nous donner les résultats de la composition, il a dit qu'il n'avait jamais vu ça depuis les années qu'il travaillait dans l'enseignement.

On était tous derniers ex æquo !

Le bateau de Geoffroy

 On s'est retrouvés au square, un tas de copains de l'école, parce que Geoffroy avait un nouveau bateau que lui avait offert son papa, qui est très riche et qui lui achète tout le temps des jouets. Geoffroy nous avait donné rendez-vous, à Rufus, à Eudes, à Alceste, à moi et à Clotaire, qui n'a pas pu venir parce qu'il est en retenue comme presque tous les jeudis ; mais les autres, on était tous là, après avoir promis à nos papas et à nos mamans qu'on allait essayer d'être sages et de ne pas faire de bêtises.

Le square, qui n'est pas loin de chez moi, est très chouette. J'y allais déjà, il y a des tas d'années, avec maman, quand j'étais tout petit comme la photo qui est sur la commode. Maman me promenait dans une petite voiture qui ne sert plus à rien, sauf à ramener des pommes de terre du marché quelquefois, et papa dit que peut-être, un jour, j'aurai un petit frère qui prendra la place des pommes de terre ; mais moi, je crois que tout ça, c'est des blagues. Dans le square, il y a une statue d'un monsieur fâché, assis à sa table en train d'écrire avec une grande plume en pierre des choses qui n'ont pas l'air de lui plaire. Pour rigoler, une fois, Joachim est allé s'asseoir sur les genoux du monsieur et celui qui n'a pas rigolé, c'est le gardien, qui est venu en courant et qui a dit que Joachim était un petit sacripant. Le gardien, il grogne tout le temps, il a une grosse moustache, un grand

bâton, un sifflet et il nous court souvent après en faisant des gestes avec son bâton ; mais il est gentil, parce qu'il ne donne jamais de coups avec son bâton et une fois il m'a offert un bonbon. Dans le square, il y a aussi des tas d'herbe et seuls le gardien et les oiseaux ont le droit de marcher dessus, un carré plein de sable où on ne va pas parce qu'on n'est plus des bébés et surtout, surtout, un bassin avec une fontaine au milieu. Un bassin où on peut jouer avec des bateaux et c'est pour ça qu'on y allait aujourd'hui, puisque Geoffroy avait un nouveau bateau que son papa, qui est très riche, lui a offert ; mais ça, je crois que je vous l'ai déjà dit.

Geoffroy est arrivé le dernier ; il fait toujours ça quand il a un nouveau jouet à nous montrer. Il aime bien qu'on l'attende, c'est énervant. Geoffroy avait une grosse boîte sous le bras, il l'a ouverte, et là-dedans il y avait le bateau. Terrible ! Un canot à moteur, rouge et blanc, avec un petit drapeau et une hélice et un gouvernail, et le gardien est venu voir le bateau ; il a dit qu'il

était très beau et qu'il espérait qu'on allait s'amuser gentiment et nous on a dit qu'on ne ferait pas les guignols. Le gardien a dit « Bon, bon » et il est allé s'occuper d'un chien qui s'était assis sur l'herbe.

Et puis, on a vu l'autre bande. L'autre bande, c'est des types qui ne sont pas de la même école que nous et qui sont tous très bêtes et il nous est déjà arrivé de nous battre avec eux chaque fois qu'on se voit. L'autre bande s'est approchée de nous et un des types a demandé à Geoffroy ce qu'il avait dans la boîte. Geoffroy a refermé le couvercle et il a dit que ça ne le regardait pas.

– Bah ! Laisse-les, a dit un autre type, c'est sûrement une poupée.

Et tous les types de l'autre bande se sont mis à rire. Ça, ça ne nous a pas plu.

– C'est un bateau qu'il a, Geoffroy, voilà ce qu'il a, a dit Rufus.

– Ouais, un chouette bateau, j'ai dit.

– Vous n'en aurez jamais d'aussi beau, a dit Eudes.

Alceste n'a rien dit parce qu'il avait la bouche pleine de madeleines ; il y a une dame qui en vend au square et elle est toujours contente quand elle voit arriver Alceste, parce que c'est un très bon client.

– S'il est si beau que ça, le bateau, t'as qu'à nous le montrer, a dit un des types de l'autre bande, et il a voulu prendre la boîte de Geoffroy, mais Geoffroy n'a pas lâché la boîte et il a poussé le type de l'autre bande et le gardien est venu en courant et en donnant des coups de sifflet.

– Dites donc, les sacripants, il a crié le gardien, vous n'allez

pas commencer à vous battre, parce que sinon, je vous emmène tous au commissariat à coups de bâton.

– Bah ! a dit Rufus, moi ça ne me gêne pas, mon papa est agent de police et il connaît le commissaire, alors…

Le gardien a dit que quand on a la chance d'avoir un papa agent de police, il faut donner l'exemple, qu'il nous avait à l'œil et il est parti parce que le chien était revenu s'asseoir sur l'herbe avec un de ses copains.

Un des types de l'autre bande a dit qu'après tout, le bateau de Geoffroy ne les intéressait pas et qu'ils en avaient un meilleur et ça nous a fait rigoler. Les types de l'autre bande sont allés vers le bassin et nous on les a suivis pour voir leur bateau et continuer à rigoler. Quand on a vu le bateau, on n'a pas tellement rigolé parce que c'était un voilier formidable, avec des tas de mâts, de ficelles et de drapeaux.

– Peuh… a dit Geoffroy.

– Quoi, peuh ? Quoi, peuh ? a demandé un des types.

– Ouais, s'il est mieux que celui-là, montre-le voir un peu, ton bateau, a dit un autre des types.

Geoffroy n'avait pas tellement envie de le montrer son canot.

– Si je ne le montre pas, mon bateau, a dit Geoffroy, c'est pour pas vous faire honte.

Les types de l'autre bande se sont mis à rigoler, alors Geoffroy a poussé un des types, le plus petit. Le petit type s'est mis à pleurer en disant qu'on avait essayé de le jeter à l'eau ; alors, un autre type, un grand celui-là, s'est approché de Geoffroy et il lui a dit :

– Essaye de me faire ce que tu as fait à mon petit frère.

– Ben quoi, ben quoi… a dit Geoffroy, et il faisait des petits pas en arrière.

– Vas-y Geoffroy, vas-y ! criait Rufus ; mais Geoffroy n'avait pas envie d'y aller.

Alors, le type a donné une gifle à Rufus qui a été tellement étonné qu'il a cessé de crier. Eudes, qui est très fort, a poussé le type qui est tombé sur Alceste, qui est tombé dans le bassin.

Alceste était assis dans l'eau en pleurant.

– Ma madeleine, il criait, ma madeleine est toute mouillée !

Les types de l'autre bande, ils ont hésité un petit moment et puis ils sont partis avec leur bateau. Nous, on essayait de sortir Alceste du bassin, mais c'était pas facile parce qu'il est lourd, Alceste. C'est le gardien qui est venu pêcher Alceste et il n'était pas content, le gardien ; il nous a dit que quand nos parents nous verraient arriver dans cet état, ils nous puniraient drôlement et que ça serait bien fait pour nous. On était très embêtés et je crois que je me serais mis à pleurer si Alceste n'avait pas été si rigolo, tout mouillé et fâché. Nous aussi on était mouillés, parce qu'Alceste avait beaucoup éclaboussé. Le seul qui était sec, c'était le bateau que Geoffroy n'avait pas sorti de sa boîte.

Nos papas et nos mamans nous ont punis. On a été privés de dessert, il y a eu des fessées et des claques et on nous a défendu de retourner au square jeudi prochain.

Et ça, ça nous a fait de la peine, parce qu'on s'amuse bien au square, avec le bateau de Geoffroy !

J'aide drôlement

Nous, c'est chouette, on va partir en vacances et toujours, avant de partir, maman dit qu'il faut ranger la maison, mettre des housses, enlever les tapis et les rideaux, mettre des tas de naphtaline, rouler les matelas et mettre des choses dans les placards et dans le grenier. Papa, il dit qu'il ne voit pas à quoi ça sert tout ça, puisqu'il faut tout remettre en place quand on revient, et maman lui répond que chez sa maman, on faisait toujours comme ça ; alors papa commence à parler de mémé, et puis maman elle dit que ce ne sont pas des choses à dire devant le petit et qu'elle va retourner chez sa pauvre mère, et papa dit bon, bon, qu'il va s'y mettre demain, mais il ne s'y met pas.

C'est pour ça que, ce matin, après que papa est parti travailler, maman a mis un grand tablier, un mouchoir sur la tête, et elle m'a dit : « On va faire une surprise à papa : avant le déjeuner, nous allons ranger le salon et la salle à manger. » Moi j'ai dit chic, et que j'allais drôlement aider. Maman m'a embrassé, elle a dit que j'étais son grand garçon et que parfois elle se demandait si papa ne devrait pas prendre exemple sur moi. Elle m'a dit aussi de faire attention et d'essayer de ne pas faire de bêtises. J'ai promis que j'allais essayer.

Maman a pris la clef du grenier, et puis elle est allée chercher le sac de naphtaline. « Et moi, qu'est-ce que je fais ? Et moi, qu'est-ce que je fais ? », j'ai demandé. « Toi, tu gardes la clef du grenier », m'a dit maman, et puis elle m'a embrassé de nouveau. Nous sommes allés dans le salon et maman a commencé à mettre des boules de naphtaline sous les coussins du canapé et des fauteuils. « Comme ça, les vilaines mites ne viendront pas manger le salon », m'a expliqué maman. Il paraît que la naphtaline c'est terrible pour les mites, mais je ne sais pas très bien comment ça se passe. Alceste, un copain de l'école qui est très gros et qui mange tout le temps, m'a dit qu'à son avis, la naphtaline, ça leur faisait mal au ventre, aux mites. Lui, il a essayé une fois d'en manger, de la naphtaline, et il n'a pas pu l'avaler, il a fallu qu'il la recrache, et pour qu'Alceste recrache quelque chose, il faut que ce soit rudement mauvais. Pourtant, moi j'aime bien comment ça sent, la naphtaline, ça sent qu'on va partir en vacances. Papa, lui, il n'aime pas ça. Quand il commence à faire froid et qu'il sort son pardessus du placard, il se fâche parce qu'il dit que cette odeur tue peut-être les mites, mais qu'elle fait rigoler ses copains, et maman lui dit que ce serait plus grave si c'était le contraire.

Après le coup de la naphtaline, maman est allée chercher les housses pour couvrir les meubles. « Et moi, et moi, je peux aider ? », j'ai demandé. Maman m'a répondu qu'elle aurait bientôt besoin de moi, et elle a commencé à mettre les housses, et ça, ça a été un drôle de travail, parce qu'il paraît que les housses avaient rétréci au lavage, et c'était dur de les passer sur les fauteuils, c'est comme la chemise bleue de papa, mais maman dit que c'est papa qui a grossi, et papa se met à rigoler et il dit qu'il ne grossit jamais du cou.

Maman, qui est formidable, a réussi à passer les housses, mais elle avait l'air assez fatiguée. « Alors moi, qu'est-ce que je fais ? », j'ai demandé. « Tu vas me rendre la clef du grenier », m'a dit maman. Alors moi, je n'ai pas trouvé la clef et je me suis mis à

pleurer et j'ai dit qu'elle était peut-être tombée sur un fauteuil quand je regardais maman mettre de la naphtaline. Maman a fait un gros soupir, elle m'a embrassé, elle m'a dit que ça ne fait rien, mon chéri, elle a enlevé les housses, et puis moi j'ai retrouvé la clef dans ma poche, sous les billes, le mouchoir et le bout de ficelle. Maman n'a pas paru tellement contente que je l'aie retrouvée, la clef, et elle a remis les housses en disant des choses tout bas, et que je n'ai pas pu entendre.

« Et maintenant, qu'est-ce que je fais ? », j'ai demandé. Maman m'a dit que je monte dans ma chambre pour jouer gentiment, alors moi, j'ai recommencé à pleurer et j'ai dit que ce n'était pas juste, que je voulais aider, mais que personne ne faisait attention à moi, et puisque c'était comme ça, eh bien, je quitterais la maison et tout le monde me regretterait bien. Maman m'a dit « Bon, bon, ça va », et elle m'a dit que j'allais l'aider à pousser les meubles pour pouvoir enlever les tapis. Ça, ça été un travail terrible, mais on s'en est bien tirés, même si j'ai cassé le vase bleu qui était sur le buffet, ce qui n'est pas grave parce qu'on a d'autres vases que je n'ai pas encore cassés. Les tapis, on les a roulés, et puis on les a mis dans l'entrée pour que papa puisse les ranger.

Maman est allée chercher l'escabeau pour décrocher les rideaux. « Et moi, et moi, qu'est-ce que je fais ? », j'ai demandé à maman. « Toi, m'a dit maman, tu vas tenir l'escabeau pour que je ne tombe pas », m'a répondu maman. Et puis, elle a regardé l'heure et elle est allée mettre le rôti dans le four pour qu'il soit prêt pour le déjeuner. Alors moi, j'ai décidé de faire une grosse surprise à maman, et je suis monté sur l'escabeau pour décrocher les rideaux. Mais comme je suis encore un peu petit, il a fallu que je mette deux dictionnaires sur l'escabeau. Après les dictionnaires, ça allait très bien, mais tout d'un coup, j'ai entendu maman crier : « Nicolas ! Veux-tu descendre de là tout de suite ! » Alors, ça m'a secoué, comme Clotaire quand la maîtresse le réveille en

classe, et je suis tombé avec le rideau et la tringle. Je ne me suis
pas fait très mal, mais je me suis mis à pleurer quand même,
comme ça maman ne me gronde pas et elle me dit « Allons,
allons, ce n'est qu'un tout petit bobo », et ça a bien marché, et
maman m'a emmené dans la salle de bain, elle m'a mis de l'eau
sur la tête, elle m'a embrassé et elle m'a dit que je l'avais assez
aidée, mais moi, je voulais continuer.

Maman a fini d'enlever les rideaux, et puis je l'ai aidée à les
mettre dans la grande malle du grenier, et tout s'est très bien

passé, sauf le doigt que je me suis pincé avec le couvercle de la malle, et là, j'ai pleuré pour de vrai parce que ça faisait drôlement mal, et ce n'était pas un tout petit bobo, comme m'a dit maman, pendant qu'elle me mettait un bandage. C'est vrai, ça, à la fin !

– Bon, a dit maman, tout est prêt. Maintenant, jusqu'au départ, nous prendrons nos repas dans la cuisine.

Et puis, nous sommes sortis nous reposer dans le jardin et attendre papa. Maman avait l'air très fatiguée, c'est vraiment une chance que j'aie été là pour l'aider.

– C'est papa qui va être surpris quand il saura que nous avons tout rangé ! a dit maman.

Et puis on a vu arriver papa. Et la surprise, c'est papa qui nous l'a faite, parce que quand il est entré dans le jardin, il a dit : « Chérie, ce soir il faut mettre les petits plats dans les grands. Mon patron et sa femme viennent dîner ! »

Et quand j'ai dit à maman que j'allais l'aider à tout remettre en place, elle s'est mise à pleurer.

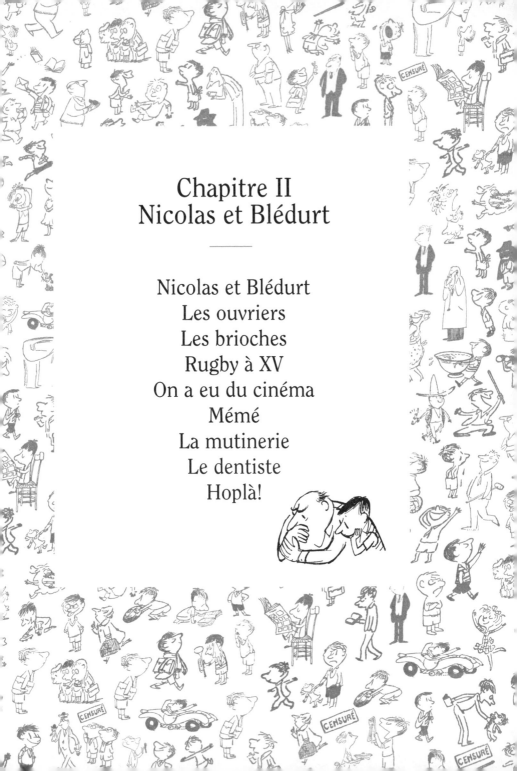

Chapitre II
Nicolas et Blédurt

Nicolas et Blédurt

P APA ET MAMAN DEVAIENT ALLER EN VISITE, alors, papa est allé parler à M. Blédurt, notre voisin : « Blédurt, lui a dit papa, nous devons sortir et je ne veux pas que Nicolas reste seul. Peux-tu le garder deux heures environ ? »

M. Blédurt a été très gentil, il a dit qu'il profiterait de l'occasion pour faire un peu mon éducation. Ça n'a pas plu à papa, qui a dit à M. Blédurt que j'étais mieux élevé que lui et qu'il ne lui demandait pas de me faire un cours mais de me garder. « Je ne sais pas ce qui me retient de te donner une leçon, à toi », a dit M. Blédurt. « La frousse », a répondu papa.

Ils étaient en train de se pousser un peu l'un l'autre pour s'amuser quand maman est venue dire à papa qu'il était temps de sortir. « Sois gentil avec M. Blédurt, et montre-lui que tu es bien élevé », m'a dit papa en partant.

Je suis resté seul avec M. Blédurt, qui m'a dit de venir dans son jardin et qui m'a promis qu'on allait bien s'amuser. Il m'a dit aussi qu'il avait un ballon de football. Ça, je le savais, parce qu'une fois M. Blédurt a envoyé son ballon dans notre jardin et papa ne voulait pas le lui rendre, pour le taquiner.

Moi, j'étais content de jouer au football, mais j'ai moins aimé quand M. Blédurt m'a dit de me mettre entre les deux arbres devant sa maison, comme gardien de but. Gardien de but, ce n'est pas mon fort, je suis mieux comme avant-centre. Mais M. Blédurt m'a dit qu'il ne voulait pas que je casse quelque chose, que c'était lui qui allait shooter et qu'il allait me montrer comment il faut faire. Comme papa m'avait dit d'être bien élevé, je n'ai pas protesté et je suis allé me mettre entre les arbres.

Il shoote bien, M. Blédurt. Il a envoyé un shoot terrible et c'est une veine que le ballon ait tapé contre un arbre, moi je ne l'aurais jamais arrêté ! Le ballon venait très fort, la preuve, c'est qu'il a rebondi contre l'arbre et puis qu'il est passé par une fenêtre de la maison de M. Blédurt et, comme la fenêtre était fermée, elle s'est

cassée. M. Blédurt est resté sans bouger, il regardait la fenêtre, la bouche ouverte. Je me suis approché de lui et il a mis sa bouche de côté et il a parlé très vite : « Nicolas, un paquet de caramels pour toi si tu dis à ma femme que c'est toi qui as envoyé le ballon. »

J'aime bien les caramels, mais j'ai dit que ce n'est pas bien élevé de mentir. M. Blédurt a poussé un gros soupir, Mme Blédurt est sortie de la maison avec le ballon sous le bras, comme si elle venait jouer au football avec nous, mais elle voulait simplement parler avec M. Blédurt. Ils se sont écartés et moi j'ai attendu qu'ils aient fini.

M. Blédurt m'a appelé et il m'a dit qu'il valait mieux qu'on entre dans la maison. On allait goûter et jouer à autre chose.

Après le goûter (il y avait des meringues), M. Blédurt m'a dit qu'il m'apprendrait à jouer aux dames. Il m'a montré et, comme

papa m'a dit d'être bien élevé, je ne lui ai pas dit que je savais déjà. Nous avons joué quatre parties et, après que je les ai gagnées, M. Blédurt a décidé qu'on allait jouer à cache-cache.

« C'est toi qui t'y colles et jusqu'au retour de ton père, tu n'es pas près de me retrouver », m'a dit M. Blédurt. Il avait l'air très décidé. Alors moi, je me suis tourné contre le mur et j'ai commencé à compter « Un, deux, trois, quatre... », comme ça jusqu'à cent.

A soixante-dix, j'ai entendu un grand bruit. Après avoir compté, je suis allé voir là d'où venait le bruit, c'était du côté de la porte de la cave et, d'en bas, M. Blédurt faisait : « Ouille, ouille, ouille. » Je n'ai rien dit et je suis allé ailleurs dans la maison.

C'est Mme Blédurt qui a sorti M. Blédurt de la cave. M. Blédurt était tout sale et il avait mal à une cheville. Il paraît qu'il avait glissé dans l'escalier en allant se cacher vite avant que je compte jusqu'à cent.

Quand M. Blédurt m'a vu, il m'a demandé pourquoi je n'étais pas venu le chercher tout de suite, quand je l'ai entendu crier, alors moi, je lui ai répondu que je croyais qu'il criait pour m'aider à savoir où il était et que, comme papa m'avait dit d'être bien élevé, je ne voulais pas le trouver trop vite pour ne pas le vexer.

C'est à ce moment que papa et maman sont venus me chercher.

Papa a été surpris de voir M. Blédurt un peu malade et M. Blédurt a dit à papa : « Je suis victime de l'éducation rigide et rétrograde que tu as donnée à ton fils. »

En revenant à la maison, j'ai demandé à papa ce que ça voulait dire ce que lui avait dit M. Blédurt. Papa m'a dit de ne pas faire attention, que M. Blédurt était un comique et puis papa m'a embrassé et il m'a acheté des tas et des tas de caramels.

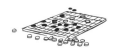

Les ouvriers

DES HOMMES SONT VENUS aujourd'hui faire un trou dans la cour de récréation, à l'école. Ils faisaient un bruit terrible avec des machines qui sont comme des mitrailleuses et la maîtresse devait crier pour nous empêcher d'aller aux fenêtres voir ce qui se passait. Un qui était content, c'est Clotaire, parce qu'il a été interrogé, et comme la maîtresse n'a pas entendu ce qu'il disait, elle lui a mis un 4, ce qui est sa meilleure note du trimestre. Et puis, le directeur est venu.

– Ce bruit doit vous déranger pour faire la classe, mademoiselle, il a dit à la maîtresse.

– C'est affreux, Monsieur le directeur, a dit la maîtresse, on ne s'entend plus.

– Je sais, je sais, a dit le directeur ; j'ai demandé à l'administration intéressée de retarder les travaux jusqu'aux grandes vacances, mais il paraît que c'est urgent. Ils réparent des conduites de gaz qui passent sous la cour. Enfin, courage, ils n'en ont que pour quelques jours.

Et puis il est parti.

Nous, on attendait avec impatience la récré, pour voir les hommes travailler. Quand la cloche a sonné, même nous, on a eu du mal à l'entendre ! Nous sommes descendus en courant dans la cour et, dans la cour, nous avons vu des hommes qui avaient mis des cordes autour d'un long trou qu'ils étaient en train de faire avec leurs mitrailleuses.

– Regardez-moi bien dans les yeux, vous tous, nous a dit le Bouillon, notre surveillant. Je ne veux pas que vous passiez de l'autre côté de ces cordes ; vous risqueriez un accident. Ne vous approchez pas des ouvriers, compris ? Rompez !

Et il est allé s'occuper d'un grand qui était en train de donner des gros coups de poing à un moyen.

Nous, on s'est approchés des ouvriers.

– C'est quoi votre mitrailleuse, là ? a demandé Joachim.

– C'est un marteau pneumatique, tu veux essayer ? a dit l'ouvrier en rigolant.

– D'accord, a dit Joachim en passant sous la corde.

– Hé ! a dit l'ouvrier, veux-tu rentrer dans ta niche !

– Ben quoi, a dit Joachim, vous m'aviez dit que je pourrais m'en servir, de votre machin !

– Ouais ! Pourquoi lui et pas moi ? a demandé Clotaire.

– Parce que toi, tu ne saurais pas, a répondu Geoffroy, et Joachim non plus, vous êtes des idiots !

– Laissez-moi essayer à moi, m'sieur ! Laissez-moi ! a crié Maixent.

– Non ! A moi ! J'étais le premier ! a crié Eudes.

– Ce que tu peux être menteur, j'ai dit ; tu étais derrière moi !

– Oh ! Pastucci ! T'es pas là pour jouer avec les gosses, t'es là pour travailler ! a crié un autre monsieur.

– Moi, je joue avec les gosses ? a demandé M. Pastucci.

– Vous ! Qu'est-ce que vous faites tous là, de l'autre côté des cordes ? Je vous l'avais défendu ! Allez jouer ailleurs ! a crié le Bouillon.

On est partis, pendant que M. Pastucci parlait avec l'autre monsieur en agitant son marteau pneumatique.

– Oh ! Dis donc, viens voir, m'a dit Alceste, ils ont allumé du feu !

Je suis allé avec Alceste, parce que c'est vrai, on a fait des tas de choses dans la cour de récré, mais du feu, jamais. Sur le feu, il y avait des tas de petites casseroles et ça sentait drôlement bon. Alceste, il se passait la langue sur les lèvres tout en mangeant son petit pain beurré.

– Ça te plaît, le ragoût ? a demandé un monsieur qui s'occupait du feu.

– Méfie-toi, Mohammed ! a crié M. Pastucci, qui a arrêté son marteau pneumatique pour nous écouter.

– Je vous change votre ragoût contre un petit pain beurré, a dit Alceste.

– Tu m'en laisseras goûter un peu ? a demandé Rufus.

– Non, monsieur, a dit Alceste ; si tu veux manger du ragoût à la récré, t'as qu'à demander à ta maman de t'en donner !

– C'est une gifle que je vais te donner, oui ! a crié Rufus.

– Allez jouer loin des gamelles, a dit M. Mohammed, qui avait l'air embêté, pendant que, plus loin, M. Pastucci rigolait.

Celui qui ne rigolait pas, c'était le Bouillon, qui est arrivé en courant.

– Mais, c'est incroyable ! il a crié, le Bouillon. Combien de fois faudra-t-il que je vous dise de ne pas venir ici ? Je vais sévir !

– Dites, a demandé M. Pastucci, ça vous embêterait beaucoup de faire la classe plus loin et de nous laisser travailler tranquilles ?

– Que... Quoi ? a dit le Bouillon en ouvrant des yeux tout grands.

– Ouais, a dit l'homme, on a du travail, nous !

– Et moi, a crié le Bouillon, vous croyez que je m'amuse ? Non, mais, sans blague !

– Ouais ! a dit Alceste, qui n'était pas content parce qu'il avait l'air vraiment fâché.

Alors on est partis pour ne pas faire d'histoires.

– Si on jouait à la balle au chasseur ? a demandé Eudes.

Nous, on a été d'accord, parce que c'est un chouette jeu. Celui qui a la balle est le chasseur, et il doit la jeter contre les autres. Les autres, quand ils reçoivent la balle, et surtout si c'est Eudes qui la jette, se mettent à pleurer et ils veulent se battre avec le chasseur, et après ils deviennent chasseurs à leur tour et tout le monde crie, c'est terrible. On s'est tous mis à jouer, sauf Agnan, qui ne joue jamais avec nous parce qu'il repasse ses leçons, et Alceste, qui était toujours fâché à cause du ragoût qu'il n'avait pas eu et qui disait que puisque c'était comme ça, demain, il apporterait une choucroute pour la récré.

Et puis, Geoffroy, qui était chasseur et qui saignait du nez, a jeté la balle très fort, et elle est allée tomber dans le trou que faisaient les ouvriers. On est allés la chercher, la balle, mais M. Pastucci n'était pas content. Il s'est arrêté de faire la mitrailleuse avec son marteau pneumatique et il a crié : « Non ! Non ! Non ! Ne venez pas ici ! » Et puis, il a vu que Clotaire, Rufus et Eudes étaient dans le trou.

– Voulez-vous sortir de là tout de suite ! a crié M. Pastucci.

– On cherche la balle, j'ai expliqué. Vous l'avez pas vue ?

– La voilà ! a crié Clotaire.

– Donnez-moi cette balle ! a crié M. Pastucci.

Il avait l'air tellement fâché que Clotaire lui a donné la balle. Alors, M. Pastucci a fait des tas de gestes avec le bras, comme pour jeter la balle très loin. Mais il ne l'a pas lâchée, la balle, parce que le monsieur qui l'avait déjà grondé est arrivé en courant.

– Mais tu deviens dingo, Pastucci ! il a dit, le monsieur.

– Dingo, moi ? a demandé M. Pastucci, qui a cessé de faire des gestes.

– Voilà que tu joues à la balle avec les gosses maintenant ? a dit le monsieur.

– Ouais, rendez-nous notre balle ! a crié Eudes.

– Mais vous allez me rendre fou ! a crié le Bouillon. Combien de fois faudra-t-il que je vous dise…

– Faites votre boulot, a crié le monsieur ; vos gosses empêchent mes hommes de travailler !

– Qu'est-ce qui se passe ici, le Bouil…, M. Dubon ? a demandé le directeur, qui était arrivé.

Nous, on est allés jouer plus loin pour ne pas déranger le Bouillon, le directeur et les ouvriers qui se criaient des tas de choses. Ça a été très chouette, on a eu cinq minutes de récré en plus. Ce qui est dommage, c'est qu'à la récré suivante les ouvriers n'étaient plus là.

Il paraît qu'ils ont dit qu'ils reviendraient finir leur travail pendant les grandes vacances. Et ils n'ont même pas rebouché le trou qu'ils avaient fait dans la cour !

Les brioches

ON A DÉCIDÉ ÇA SAMEDI SOIR. M. et Mme Blédurt étaient venus à la maison prendre le café après dîner. M. Blédurt, c'est notre voisin ; il est très chouette et il aime bien taquiner papa. Mme Blédurt, c'est sa femme.

– Tu sais, a dit M. Blédurt à papa, que nous commençons à prendre de la brioche ?

– Nous ? a crié papa. Parle pour toi, mon gros !

– C'est quoi, prendre de la brioche ? j'ai demandé.

– La brioche, c'est ça, a dit M. Blédurt en montrant le ventre de papa.

– Ouais, ça, ça serait plutôt un énorme saint-honoré, a dit papa, en montrant le ventre de M. Blédurt.

– Non, blague à part, a dit M. Blédurt. Tu sais, avec la vie idiote qu'on mène, on devient gras et mous. Mon docteur m'a dit qu'on arrive à un âge où il ne faut pas se laisser aller.

– Ça, il a raison, votre docteur, a dit maman.

– Eh oui, mon vieux, a dit papa, tu ne rajeunis pas.

– Mon docteur a dit que je devrais faire un peu de sport, a expliqué M. Blédurt. Me lever de bonne heure le matin, aller courir dans les bois, des trucs comme ça. Tu devrais venir avec moi.

– T'es pas un peu malade ? a demandé papa.

– Oh ! Bien sûr, a dit M. Blédurt, je comprends que le sport, ce n'est pas à la portée de tout un chacun.

– Quoi ? a crié papa. Tu sais combien je valais au 100 mètres ?

– Avec vent favorable, une dizaine de minutes, à vue de nez, a répondu M. Blédurt.

– Ah oui ? a dit papa. Eh bien, je vais te montrer ! D'accord, j'irai avec toi ; nous verrons lequel de nous deux est le plus sportif ! Et puis, sérieusement, je crois que tu as raison ; on s'encroûte, on se rouille.

– Parfait, a dit M. Blédurt. On part demain matin, très tôt, à jeun. On va courir au bois. Tu verras, ça nous fera le plus grand bien.

– Moi aussi, je vais y aller ! j'ai dit.

– Tu ne pourras pas nous suivre, mon lapin, a dit M. Blédurt. Nous allons nous donner à fond, sinon, ce n'est pas la peine. Et puis, je ne crois pas que tu aies tellement besoin de faire de l'exercice le dimanche ; j'ai l'impression qu'à l'école, les jours de semaine, tu ne te dépenses pas mal si j'en crois ce qu'on raconte.

– Moi, je veux aller avec vous pour ne pas avoir des brioches ! j'ai dit.

Alors, tout le monde a rigolé. Maman a dit qu'on emmène le petit, qu'après tout ça ne lui ferait pas de mal de prendre un peu l'air, et puis que, comme ça, elle ne l'aurait pas dans les jambes demain matin, qu'elle voulait justement faire le ménage à fond, et papa et M. Blédurt ont dit que bon, d'accord, et qu'il n'était jamais trop tôt pour mener une vie saine. Et puis, papa et M. Blédurt ont allumé des gros cigares, maman leur a servi des liqueurs, et moi je suis allé me coucher, parce qu'il était très tard.

Quand je me suis réveillé ce matin, il n'y avait pas de bruit dans la maison, et j'ai eu peur que papa soit parti sans moi. Mais maman est entrée dans ma chambre et elle m'a dit que je ne fasse pas de bruit, que papa dormait encore et qu'il s'était couché très tard, à cause des Blédurt.

J'étais en train de prendre mon petit déjeuner dans la cuisine quand papa est entré, en pyjama, tout dépeigné et pas rasé, et il a demandé à maman de lui donner quand même un café au lait et un morceau de croissant.

– Dépêche-toi, Nicolas, m'a dit papa, parce que quand je serai prêt, je ne t'attendrai pas !

Après sa deuxième tartine (papa prend toujours deux tartines le matin), papa est allé faire sa toilette, et il a mis son gros pull-over et le pantalon gris qu'il porte à la maison.

M. Blédurt finissait son petit déjeuner quand nous sommes arrivés chez lui. Il était rigolo comme tout, avec un drôle de gros costume en laine bleue.

– Tu devrais t'acheter un survêtement, toi aussi, a dit M. Blédurt à papa. Autant faire les choses en règle.

– Bon, on y va, Jazy ? a demandé papa.

– D'accord, a dit M. Blédurt. On prend ma voiture ?

Nous sommes sortis de sa maison et papa l'a aidé à ouvrir la porte de son garage.

– Tu en es toujours content ? a demandé papa.

– Ben oui, a répondu M. Blédurt. Mais l'autre jour, j'ai eu du mal à démarrer. C'est pas la batterie, pourtant, ça j'en suis sûr.

– Tu as regardé la pompe à essence ? a demandé papa.

– La pompe à essence ? Non, pourquoi ? a dit M. Blédurt.

– J'ai eu le même ennui, a expliqué papa, et c'était la pompe à essence. Il y a un truc qui se coince. Tu vas voir. Ouvre le capot.

M. Blédurt a ouvert le capot de la voiture et il s'est penché dans le moteur avec papa. Ils étaient en train de regarder depuis un moment, et puis Mme Blédurt est entrée dans le garage.

– Comment ? elle a dit. Vous êtes encore là ?

– Nous partons, a dit M. Blédurt. Il n'y a rien qui presse, faut pas exagérer, tout de même ! On va faire du sport, pas battre des records !

Nous nous sommes mis dans l'auto, papa et M. Blédurt devant et moi derrière. L'auto, elle a très bien démarré.

– Ferme cette glace, Nicolas ! m'a dit papa. Il fait un froid de canard !

– Une chose de bien, avec cette bagnole, a dit M. Blédurt, c'est le chauffage ; tu vas voir !

On roulait, comme ça, tout doucement vers le bois, il faisait drôlement bon dans l'auto, et papa a dit qu'il fallait avouer que ça faisait du bien de sortir comme ça le matin, respirer l'air frais, au lieu de traîner bêtement au lit.

– Mais bien sûr ! a dit M. Blédurt.

Dans le bois, il y avait pas mal d'autos, et M. Blédurt a dit qu'on allait choisir un coin tranquille pour s'arrêter et pour faire du sport sans être dérangés.

– On n'a qu'à laisser la voiture n'importe où et on s'enfoncera dans le bois par les sentiers, a dit papa.

M. Blédurt a dit que c'était une bonne idée et il a arrêté son auto juste derrière la petite voiture d'un marchand de marrons.

– Je vous offre des marrons, a dit M. Blédurt.

– T'es pas un peu fou ? a dit papa. C'est moi qui les offre !

Ils se sont disputés en rigolant, et puis nous avons marché dans le bois, chacun avec un gros cornet de marrons bien chauds, vous ne pouvez pas savoir comme c'est bon ! Moi, j'aime bien sortir avec papa, parce qu'il me paie tout le temps des choses.

En marchant, comme ça, nous sommes arrivés devant une baraque où c'était marqué : BUVETTE.

– Tu sais que ces marrons m'ont donné soif ? a dit M. Blédurt.

– Ça tombe bien, a dit papa. Il est apéritif moins cinq !

C'était très chouette. Papa et M. Blédurt ont pris des apéritifs, moi j'ai eu une grenadine – j'aime bien la grenadine parce que c'est rouge – et M. Blédurt m'a donné de l'argent pour acheter des cacahuètes à la machine.

Comme papa et M. Blédurt parlaient de leurs autos, je suis sorti pour jouer un peu, et c'est dommage que je n'aie pas pensé à apporter mon ballon de foot.

Et puis papa et M. Blédurt sont sortis de la buvette, et papa m'a dit :

– Nicolas ! Il est tard ! On rentre !

– Allez, Nicolas ! Un sprint jusqu'à la voiture ! a crié M. Blédurt. Prêts ? Partez !

Je suis parti en courant. Je suis très fort pour courir ; à la récré, personne ne me bat, sauf Maixent, mais lui, ça ne vaut pas, parce qu'il a des jambes très longues. J'étais drôlement fier, parce que je suis arrivé le premier de tous à l'auto.

Comme les portes étaient fermées à clef, je n'ai pas pu entrer, et j'allais retourner chercher papa et M. Blédurt quand je les ai vus arriver, en discutant de leurs pompes à essence.

– Eh bien, a dit maman quand nous sommes rentrés à la maison, je commençais à être inquiète. C'est qu'il est tard ! Pour une première fois, vous avez peut-être un peu abusé.

– Tu sais, a dit papa, Blédurt a raison. Pour lutter contre la brioche et le ramollissement, il ne faut pas se laisser aller. C'est un peu fatigant, d'accord, mais ça fait un bien énorme. On va tâcher d'avoir le courage de recommencer tous les dimanches.

Et on a eu un déjeuner drôlement chouette, avec du poulet et des tas de pommes de terre, et puis papa est monté faire la sieste jusqu'au goûter.

Rugby à XV

AVEC LES COPAINS, NOUS AVIONS RENDEZ-VOUS dans le terrain vague, cet après-midi, parce que Geoffroy a dit qu'il avait une surprise terrible pour nous. Il n'a pas voulu nous dire ce que c'était parce que Geoffroy aime bien faire des mystères ; il est énervant pour ça.

Quand nous sommes arrivés, Geoffroy n'était pas encore là, et puis il est venu le dernier – il le fait exprès – et il nous a montré la surprise : un ballon de rugby !

– C'est mon père qui me l'a donné pour m'encourager à ne plus être avant-dernier en grammaire, nous a expliqué Geoffroy, qui a un papa très riche qui lui donne tout le temps des tas de choses, parce que Geoffroy a toujours besoin d'être encouragé.

– Chouette ! j'ai dit, on va jouer au rugby !

– Mais je ne sais pas jouer au rugby, a dit Clotaire. Moi, j'aime le foot et le vélo, mais le rugby, j'ai jamais su.

– On t'expliquera, a dit Joachim, c'est facile.

– On joue au rugby à quinze ou au rugby à treize ? a demandé Maixent.

– Au rugby à quinze ; c'est le plus chouette, a dit Rufus.

– Mais nous ne sommes que huit, a dit Eudes.

– Ben on s'arrangera, a dit Geoffroy ; les demis joueront trois-quarts aussi.

– Quinze, treize, huit, demis, trois-quarts, a dit Clotaire, c'est de l'arithmétique, votre truc !

Et nous on a tous rigolé, et Clotaire était content, parce qu'il aime bien faire rigoler les copains, même quand il ne le fait pas exprès.

– Alors moi, a demandé Alceste, je vais être demi ou trois-quarts ?

– Toi, a dit Rufus, tu serais plutôt le double que le demi ou le trois-quarts !

Et nous on a tous rigolé de nouveau, sauf Alceste, qui n'aime pas tellement qu'on fasse des blagues parce qu'il est gros, et Clotaire, qui n'a pas compris.

– C'est quoi, un double ? il a demandé, Clotaire.

Alors, Geoffroy a dit qu'il ne fallait pas perdre de temps à parler et qu'on se mette vite à jouer.

– Cette fois-ci, on ne va pas faire les guignols pour choisir les équipes, a dit Eudes. Moi, je prends Nicolas, Alceste et Geoffroy. Les autres, arrangez-vous.

– D'accord, a dit Geoffroy. Mais c'est moi qui les prends, puisque le ballon est à moi.

– Tu veux prendre mon poing sur le nez ? a demandé Eudes, qui a commencé à secouer Geoffroy en le tenant par le devant de son pull-over.

– On joue déjà ? a demandé Clotaire.

Rufus n'était pas content d'avoir Clotaire dans son équipe, puisque Clotaire ne savait pas jouer, et Joachim ne voulait pas jouer avec Maixent, parce qu'il est fâché avec Maixent, depuis que Maixent lui a gagné des billes, et Maixent préférerait jouer dans l'équipe d'Eudes, parce qu'Eudes est très fort, et, au rugby, c'est important, et Geoffroy, quand Eudes l'a lâché, il a dit que s'il ne pouvait pas être capitaine, il ne voulait plus d'Eudes dans son équipe, et Alceste a dit que si Rufus ne retirait pas ce qu'il avait dit, il ne jouerait avec personne ; mais finalement, nous nous sommes arrangés.

– Bon, a dit Geoffroy. Un but, c'est entre l'auto et la casserole, là-bas ; et l'autre, c'est entre les pierres et les boîtes. Il faut tracer les lignes de 22 mètres.

Alors, avec le talon, Rufus a tracé une ligne.

– Ça, c'est nos 22 mètres, il a dit.

– Et où est-ce que t'as vu que ça faisait 22 mètres, ça ? a demandé Alceste.

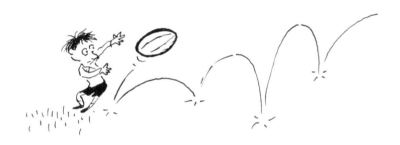

– Toi, le double, on ne t'a pas sonné, a dit Rufus. Ça, c'est nos 22 mètres à nous ; vous n'avez qu'à faire vos 22 mètres où vous voudrez, non, mais sans blague.

– C'est quoi, les 22 mètres ? a demandé Clotaire. On dirait de l'arithmétique, votre truc.

Mais, cette fois-ci, Clotaire a été un peu déçu parce que personne n'a rigolé ; il faut dire qu'on était occupés à regarder Alceste, drôlement fâché, qui est allé voir Rufus et qui lui a dit :

– Je suis pas le double, t'as compris ?

– Moi, je veux bien jouer le double, si vous voulez, a dit Clotaire.

Et là, on s'est mis à rigoler, et Clotaire était tout fier.

Pour l'arbitre et les juges de touche, on a décidé qu'on s'arrangerait très bien. Le premier qui verrait une irrégularité préviendrait les autres, et pour les touches, on a promis de ne pas tricher.

– Ça va pas être facile pour tout le monde de ne pas tricher, a dit Joachim.

– C'est pour moi que tu dis ça ? a demandé Maixent. Parce que si c'est pour moi, il faut le dire.

– Je ne le dis pour personne, a répondu Joachim. Mais il faudrait pas qu'il y en ait qui jouent au rugby de la même façon qu'ils jouent aux billes !

– Qu'est-ce que ça a à voir, le rugby et les billes ? a demandé Clotaire.

– On t'expliquera, a dit Geoffroy. Allez, on commence à jouer.

Alors, on s'est mis au milieu du terrain vague et Geoffroy a donné le coup d'envoi ; mais il n'a pas tapé assez fort, le ballon a roulé et Rufus l'a ramassé.

– Coup franc ! a crié Clotaire.

– Quoi, coup franc, imbécile ? a demandé Eudes.

– Ben oui, a dit Clotaire. On a dit que le premier qui verrait une faute préviendrait les autres. Et il y a eu main, Rufus a touché le ballon avec ses mains !

– Mais qu'est-ce que tu regardes à la télé, chez toi ? a demandé Geoffroy. Tu ne sais pas qu'au rugby on a le droit de toucher le ballon avec les mains et avec les pieds ?

– Ah ! Ben alors, c'est trop facile ! a dit Clotaire.

– Hé, les gars ! a crié Joachim. Maixent m'a plaqué ! Pénalité ! Je n'avais pas le ballon !

– Pénalité contre qui, imbécile ? a crié Maixent. Nous sommes dans la même équipe ! Et si j'ai envie de te plaquer, je te plaquerais, avec ou sans ballon !

– Joachim a raison, a dit Eudes. Nous allons jouer la pénalité contre vous, puisqu'il y a eu faute grave dans votre équipe.

– Pénalité, c'est un penalty ? a demandé Clotaire.

Joachim et Maixent se sont mis à crier, à se traiter de tricheurs et à dire qu'ils se plaqueraient même en jouant aux billes, et Geoffroy a dit que s'ils continuaient comme ça, il ferait expulser les deux joueurs, et qu'on ne resterait plus que six sur le terrain, mais que tant pis, qu'il aimait mieux ça que de laisser le jeu dégénérer dans la brutalité.

– Ça, je l'ai entendu une fois à la télé ! a crié Clotaire, tout content de faire des progrès en rugby.

Alors, Maixent et Joachim ont cessé de se battre, parce qu'ils ne voulaient pas être expulsés du terrain, et on a décidé de faire une mêlée. On a dû recommencer plusieurs fois, parce que la première fois, on s'est tous mis dans la mêlée et il n'y avait personne pour introduire le ballon, et la deuxième fois, Alceste, qui était sorti de la mêlée, a refusé d'introduire le ballon tant que Rufus continuerait à lui faire des grimaces.

Et puis, Geoffroy a talonné le ballon, et Clotaire l'a ramassé.

– Qu'est-ce que j'en fais ? Qu'est-ce que j'en fais ? a demandé Clotaire.

– Botte en touche ! Botte en touche ! a crié Rufus. Donne un coup de pied ! Vite, imbécile !

Alors, Clotaire a fermé les yeux et il a donné un coup de pied terrible, et même si Eudes a dit qu'il y avait eu un en-avant, il a trouvé une touche formidable, Clotaire.

Ce qui est dommage, c'est qu'en trouvant la touche, on a perdu le ballon, parce qu'il est passé de l'autre côté de la palissade. On a entendu un grand cri dans la rue et nous sommes tous partis en courant.

On a eu du cinéma

AUJOURD'HUI, À L'ÉCOLE, on a eu du cinéma !

La maîtresse nous a fait descendre dans la grande classe ; là où l'on fait la distribution des prix. Il y avait des tas de chaises en rang ; en face des chaises, sur l'estrade, on avait mis un écran de cinéma, un vrai, et au fond, derrière, sur une table, il y avait un appareil de cinéma. M. Bouffidon, qui est professeur des grands, s'occupait de l'appareil. Nous sommes arrivés les derniers, les autres classes étaient déjà là. Comme nous sommes les petits, on nous avait laissé les deux premiers rangs de chaises. Le Bouillon, c'est le surveillant, était en train de fermer les persiennes et on avait allumé les lumières de la classe.

Et puis, le directeur est venu et il s'est mis devant l'écran.

– Mes enfants, notre cher professeur de géométrie dans l'espace a fait, pendant ses vacances, un grand voyage. Toujours soucieux de l'intérêt pédagogique de ses expériences personnelles, M. Bouffidon a tourné un film, qu'il va avoir la bonté de nous projeter et de nous commenter. Je pense que vous vous joindrez à moi pour remercier M. Bouffidon du grand plaisir qu'il nous fait. Plaisir instructif qui lie l'utile à l'agréable, et je profite de l'occasion pour prévenir les élèves qui voudraient se dissiper pendant cette séance que je les punirai avec la dernière sévérité. Compris, les petits ?... Bien, nous pouvons commencer, M. Bouffidon.

– Pas encore, a dit M. Bouffidon, je... Je ne connais pas bien cet appareil que nous avons loué, et je n'arrive pas à passer le film.

– Si vous voulez, a dit Geoffroy, je peux vous donner un coup de main ; à la maison, mon papa a un appareil comme celui-là, en mieux.

– Silence, Geoffroy, a dit la maîtresse, sinon je vous fais sortir !

– Bon, a dit M. Bouffidon, ça va aller, on peut éteindre.

– Eteignez, M. Dubon, je vous prie, a dit le directeur ; et le Bouillon a éteint la lumière, et puis sur l'écran on a vu un bateau à l'envers, avec des tas de gens qui marchaient sur la tête.

Dans la classe, ça a commencé à rigoler, et M. Bouffidon a demandé au Bouillon de rallumer, et puis il a arrêté le film.

– Je vous prie de m'excuser, Monsieur le directeur, a dit M. Bouffidon,

qui avait l'air nerveux, je ne suis vraiment pas familier avec cet appareil.

– Je vous en prie, a dit le directeur.

– Moi, je peux vous l'expliquer, a dit Geoffroy, à la maison...

– Allez vous mettre au piquet à côté de l'écran ! a crié le directeur, et Geoffroy y est allé.

M. Bouffidon s'est gratté la tête, et puis il a parlé à l'oreille du directeur, qui a appelé Geoffroy, et Geoffroy, il est terrible, il a montré à M. Bouffidon comment il fallait faire pour mettre le film à l'endroit.

– C'est bien, a dit le directeur à Geoffroy, allez vous rasseoir avec vos petits camarades.

Geoffroy est revenu, drôlement fier, mais il s'est fâché tout de suite, parce que Clotaire avait pris sa place.

– Mademoiselle, a dit Geoffroy, Clotaire a profité qu'on ait besoin de moi pour faire marcher le cinéma, pour prendre ma place.

– T'as qu'à t'asseoir au bout de la rangée, crâneur ! a crié Clotaire.

– Ces deux élèves au piquet, un de chaque côté de l'écran, a dit le directeur.

– Heu... Monsieur le directeur, a dit M. Bouffidon, vous pourriez mettre le petit là, au piquet, à côté de moi ; il a l'air de bien connaître cet appareil.

Geoffroy et Clotaire sont allés au piquet, et puis le Bouillon a éteint la lumière.

On a vu le bateau de nouveau, mais dans le bon sens, c'était moins drôle, et puis M. Bouffidon a toussé et il a dit : « Je me suis embarqué à Marseille, sur un paquebot à destination de l'Italie, de la Grèce et si vous continuez à faire des ombres chinoises sur l'écran, j'arrête le film ! »

C'était un grand qui faisait le guignol ; avec ses mains, il faisait le lapin et le cheval, drôlement bien, le cheval surtout.

– Rallumez, M. Dubon, a crié le directeur ; que le coupable se dénonce.

Le Bouillon a rallumé et Agnan a crié :

– Mademoiselle ! Clotaire n'est plus au piquet ! Il a repris la chaise de Geoffroy !

– Tu ne peux pas te taire, espèce de cafard, a crié Clotaire ; et la maîtresse l'a mis en retenue pour jeudi et Clotaire s'est mis à pleurer et à dire qu'après tout, le film ne lui plaisait pas, qu'il aimait mieux la télé et qu'il allait faire une grosse tête à Agnan.

– Silence ! a crié le directeur. Eteignez, M. Dubon.

Le Bouillon a éteint, et nous sommes restés dans le noir.

– Rallumez, je vous prie, a dit M. Bouffidon, je n'arrive pas à remettre en marche cette espèce de… cette machine.

Le Bouillon a rallumé et Alceste s'est plaint qu'il y avait des tas d'entractes, mais qu'on ne vendait pas de glaces, comme dans les vrais cinémas. Heureusement qu'il avait deux petits pains au chocolat et un croissant pour tenir le coup.

– Eteignez, je crois que ça va aller, a dit M. Bouffidon, et le Bouillon a éteint.

On a vu encore un coup le bateau, et M. Bouffidon nous a dit : « Je me suis donc embarqué à Marseille sur un paquebot à destination de l'Italie, de la Grèce et de la Turquie… »

Ce qu'il y avait de rigolo, c'était que le bateau, on le voyait pas sur l'écran, mais sur le mur à côté.

– Remboursez ! a crié un grand avec une grosse voix.

– Lumière ! a crié le directeur.

Le Bouillon a rallumé. M. Bouffidon a arrêté l'appareil, et il avait l'air pas content du tout.

– C'en est trop ! il a crié. Je me refuse à continuer à travailler dans ces conditions ! Si le film n'intéresse personne, autant le dire tout de suite !

– Vous avez parfaitement raison, M. Bouffidon, a dit le directeur.

Quel que soit l'intérêt de votre film, l'attitude de ces élèves est inexcusable, et je les préviens qu'à la prochaine incartade, tout le monde sera renvoyé !

Il y a eu un drôle de silence, parce que nous avons vu que ce n'était plus le moment de faire les guignols.

– Bien, a dit le directeur : vous êtes prêt, Bouffidon ? Eteignez. Eteignez, le Bouil... M. Dubon !

Le Bouillon a éteint, et nous sommes restés dans l'obscurité, sans rien dire. Ça faisait un peu peur. Et puis, le directeur a dit :

– Eh bien ! M. Bouffidon, vous pouvez commencer.

Et M. Bouffidon a répondu :

– Non, je ne peux pas commencer ! Cette sale machine ne veut pas repartir !

– Rallumez, M. Dubon, a dit le directeur.

– Je ne peux pas non plus, a répondu le Bouillon, je crois que ce sont les plombs qui ont sauté.

Et ça a été la fin de la séance de cinéma. Mais, M. Bouffidon, il est chouette, il nous a promis de recommencer vers l'été.

– Quand je vous repasserai ce film, il nous a dit, il fera chaud !

Mémé

Quand maman a dit que sa maman venait passer deux jours avec nous, moi, j'ai été très content, parce que j'aime beaucoup mémé. Elle est gentille mémé, elle me donne des tas de choses et tout ce que je dis la fait rire beaucoup et elle dit que je suis très intelligent et très drôle et que je ressemble beaucoup à ma maman quand elle avait mon âge.

Papa aussi a été content quand il a su que mémé venait : « Bravo ! il a dit, ah oui, bravo ! Pour une bonne nouvelle, c'est réussi ! Bravo ! » Je dois dire que ça m'a un peu étonné que papa soit si content, parce que lui et mémé, ils se disputent un peu quand ils se voient. Mais je crois que c'est comme quand M. Blédurt, notre voisin, taquine papa. C'est pour rire.

Mémé est arrivée le soir. Quand elle a sonné, j'ai couru à la porte avec maman, et mémé est entrée avec sa valise. « Ma chérie ! a dit mémé en embrassant maman, je suis si contente de te voir ! » et puis mémé m'a pris dans ses bras, elle m'a embrassé partout sur la figure, elle m'a dit que j'étais un grand garçon, un homme et son bébé à elle. Papa s'est approché son journal à la main et mémé lui a tendu une joue que papa a embrassée très vite, plic. « Bonjour, gendre », a dit mémé. « Bonjour, belle-mère », a dit papa. Moi, je sautais autour de mémé et je regardais sa grosse valise, parce que mémé, quand elle vient, elle

126

m'apporte toujours de chouettes cadeaux dans sa valise. « Qu'est-ce que tu m'as apporté, mémé ? », j'ai demandé. Papa m'a fait les gros yeux. « Nicolas, il m'a dit, en voilà des manières ! Où as-tu donc été élevé ? »

– Laissez-le, a dit mémé, ce pauvre petit n'a pas une vie tellement gaie, il faut bien le gâter un peu.

– Ah ! Ça, a dit papa, c'est bien vrai. Après chacune de vos visites, Nicolas est complètement gâté !

Mémé a ouvert la valise et elle a sorti une grosse boîte. « Tiens, mon chéri, elle m'a dit, ouvre le paquet, je crois que ça va te plaire. » Ça m'a pris beaucoup de temps pour ouvrir le paquet, à cause des ficelles et des papiers et aussi parce que quand je suis impatient, je tremble et c'est drôlement dur pour défaire les nœuds, et, dans la boîte, vous ne devinerez jamais ce qu'il y avait dedans : un avion ! Un avion terrible ! Avec tout plein de moteurs sur les ailes et des hélices qui tournent. « Qu'est-ce qu'on dit ? » a demandé maman. « Il est drôlement gros, j'ai répondu, c'est le plus gros que je n'ai jamais eu ! » Mémé s'est mise à rire et elle a dit que j'étais très drôle et elle m'a embrassé.

Moi, j'ai commencé à jouer avec l'avion. Je faisais « rrrrr » et puis je courais dans le salon en lui faisant faire des tas d'acrobaties, à l'avion. Papa s'est assis de nouveau dans son fauteuil pour lire le journal, et il m'a dit : « Nicolas, range ce jouet ! Tu as des devoirs à faire pour l'école ! »

– Bah ! a dit mémé, laissez-le s'amuser un peu, ce n'est pas souvent qu'il a des jouets comme ça, le pauvre petit.

– Et quand le pauvre petit sera grand et que vous en aurez fait un ignorant, qu'est-ce qu'il deviendra ? a demandé papa.

– Il deviendra un gendre, probablement, a répondu mémé.

Maman est entrée dans le salon avec des tasses de thé sur un plateau. Maman, elle n'aime pas que mémé reste longtemps seule avec papa. Je crois que c'est à cause des disputes.

Avec le thé, maman a apporté un gâteau en tranches, ça ressemble à du pain d'épice, mais ça n'a pas du tout le même goût, c'est bon quand même. J'ai demandé à maman si je pouvais en avoir du gâteau et maman a dit non, que ça me couperait l'appétit. J'allais me mettre à jouer avec l'avion, quand mémé a dit :
« Oh ! Laissez-le prendre une ou deux tranches, ça ne peut pas lui faire de mal ! » Papa a regardé mémé, il est devenu tout rouge, alors, maman, très vite, elle m'a donné une tranche de gâteau et elle m'a dit d'aller jouer dans ma chambre.

– Je ne vois pas souvent mon unique petit-fils, a dit mémé, je ne comprends pas pourquoi on l'envoie dans sa chambre dès que j'arrive.
– Mais enfin, maman, a dit maman.
– Laisse-la, a dit papa, tu vois bien qu'elle le fait exprès.
– Tu m'avais promis, a dit maman à papa.

– Oh, ça ne fait rien, a dit mémé, je ne suis qu'une pauvre vieille femme que personne n'aime, j'ai compris, je vais rentrer chez moi, et vous ne me verrez plus !

Maman et mémé se sont mises à pleurer, papa est monté dans sa chambre et moi, j'ai repris un morceau de gâteau.

Mémé et maman ont cessé de pleurer très vite. « Je vais aller voir où en est le rôti », a dit maman et elle est partie à la cuisine. Moi, je suis resté seul avec mémé, et elle m'a pris sur les genoux, et elle m'a fait poser l'avion sur la table, parce que je lui avais mis une hélice dans l'oreille et elle m'a demandé si je travaillais bien à l'école, si j'étais bien sage, ce que j'aimerais faire quand je serai plus grand, et si je voulais goûter les bonbons qu'elle avait dans son sac. Je lui ai répondu que je travaillais pas mal, que j'étais assez sage, que je voulais devenir aviateur et que si elle avait des bonbons, moi, j'en voulais bien.

Il y avait des tas de bonbons dans le sac de mémé, des en chocolat et des en caramel. Elle est vraiment très chouette, mémé. J'aime bien papa et maman, mais ils ne me donnent jamais autant de bonbons. C'est dommage que mémé ne vienne pas plus souvent à la maison.

Comme c'était l'heure du dîner, papa est redescendu dans le salon. Moi, j'avais fini les bonbons, et, c'est drôle, je n'avais plus tellement envie de jouer avec l'avion. J'avais la bouche toute sucrée et un petit peu mal au ventre.

– Le dîner est servi, a dit maman.

Nous nous sommes mis à table dans la salle à manger. Maman avait préparé un repas terrible avec des tas de hors-d'œuvre et de la mayonnaise, que j'aime beaucoup. Mais là, je ne sais pas pourquoi, je n'avais pas faim et je faisais des dessins dans mon assiette avec la mayonnaise et la fourchette.

– Allons, mange un petit peu pour faire plaisir à mémé, a dit mémé.

– Il ne faut pas le forcer, a dit papa, tous les docteurs disent…
– Les docteurs ! Les docteurs ! a crié mémé. Qu'est-ce qu'ils savent les docteurs ? Moi, j'ai élevé trois enfants et je n'ai jamais eu d'ennuis avec eux !
– Vous n'aviez peut-être pas de belle-mère, a répondu papa.
– J'apporte le rôti, a dit maman ; Nicolas, dépêche-toi, on t'attend !
– Et mâche bien, a ajouté mémé.

Quand le dîner s'est terminé, maman m'a envoyé coucher tout de suite, et j'ai été très malade. Très, très malade. Comme après le repas de communion de mon cousin Bertin, quand mon oncle Silvère a dit qu'on me laisse goûter au foie gras, que ça ne pouvait pas me faire de mal et ça a pu. Papa a dû se lever la nuit pour appeler le docteur, qui est venu et qui a dit que ce n'était rien, une indigestion et qu'on devrait me mettre à la diète pendant quelques jours.

Là où j'ai l'impression que papa n'était pas trop content, c'est quand mémé a dit qu'elle allait rester quelques jours de plus avec nous pour surveiller ma diète.

« Je me méfie de votre façon de nourrir ce pauvre petit », a dit mémé.

La mutinerie

HIER APRÈS-MIDI, Geoffroy a apporté un gros ballon à l'école et pendant la récré, le Bouillon (notre surveillant) lui a dit : « Ne jouez pas avec ce ballon ; vous allez finir par casser quelque chose ou faire mal à quelqu'un. »

Alors, Geoffroy a pris son ballon sous le bras, il est allé plus loin et, pendant que le Bouillon était occupé à parler avec un grand, il a donné un shoot terrible dans le ballon, mais il n'a pas eu de chance, parce que le ballon a rebondi contre le mur, il est allé taper sur le bras du Bouillon, et Geoffroy s'est mis à pleurer. Le Bouillon est devenu tout rouge, il a ramassé le ballon, il a pris Geoffroy par le bras et ils sont partis tous les trois chez le directeur. Et puis, Geoffroy n'est pas revenu en classe, parce que le Bouillon a fait suspendre Geoffroy pour deux jours.

En sortant de l'école, on était tous très embêtés, parce que Geoffroy, c'est un copain, et ça fait des histoires terribles quand vous êtes suspendu, et puis parce que le Bouillon avait confisqué le ballon, qui aurait été chouette pour jouer au foot dans le terrain vague.

– Il n'avait pas le droit de faire ça, le Bouillon, a dit Eudes.

– Ouais, j'ai dit.

– Il n'avait peut-être pas le droit, mais il l'a fait, a dit Rufus.

– Ah oui ? a dit Eudes. Eh bien, on va lui montrer qu'il n'a pas le droit ! Vous savez ce qu'on va faire, les gars ? Demain, on viendra tous de bonne heure à l'école, et quand le Bouillon sonnera la cloche pour monter en classe, nous, on n'ira pas. Et puis, on lui dira, au Bouillon : « Si vous voulez qu'on monte en classe, enlevez la suspension de Geoffroy, et rendez-lui le ballon, sans blague ! » Et toc !

Ça, c'était une idée formidable, et on a tous crié : « Hip, hip, hourra ! »

– Ouais, a dit Maixent, ils vont voir qu'avec la bande des Vengeurs, on ne rigole pas !

La bande des Vengeurs, c'est nous, et c'est vrai qu'avec nous il ne faut pas rigoler.

– Si vous voulez qu'on monte en classe, enlevez la suspension de Geoffroy et rendez-lui le ballon, sans blague, on lui dira au Bouillon, a dit Eudes.

– Et toc ! a dit Clotaire.

– Alors, on est tous d'accord ? a demandé Joachim.

– Ouais ! on a tous crié.

– Allez, à demain, les gars ! a dit Eudes.

Et il est parti avec Joachim qui habite près de chez lui, et il lui expliquait ce qu'on lui dirait, demain, au Bouillon. Moi, j'étais drôlement fier d'appartenir à une chouette bande de copains, avec lesquels il ne faut pas rigoler. Alceste, qui marchait à côté de moi en mangeant un croissant, a fait un gros soupir et, avant de rentrer chez lui, il m'a dit :

– Ça va faire une drôle d'histoire, demain.

Pour ça, il avait raison, Alceste ; ça ferait une drôle d'histoire, et le Bouillon verrait une fois pour toutes qui est le plus fort, lui ou nous.

Je n'ai pas très bien dormi, cette nuit ; c'est toujours comme ça quand on doit faire une chose terrible le lendemain matin ; et quand maman est venue pour me dire que c'était l'heure de me lever, j'étais déjà réveillé, et drôlement énervé.

– Allons, allons, debout, paresseux ! m'a dit maman.

Et puis, elle m'a regardé et elle m'a demandé :

– Tu en fais une tête, Nicolas ? Ça ne va pas ?

– Je ne me sens pas très bien, j'ai dit.

Et c'est vrai que je ne me sentais pas très bien ; j'avais une grosse boule dans la gorge, un peu mal au ventre et très froid aux mains. Maman m'a mis sa main sur le front et elle a dit :

– Tu es un peu moite, en effet...

Papa, qui revenait de la salle de bain, est entré dans ma chambre et il a demandé :

– Qu'est-ce qui se passe ? Nous avons les symptômes du matin avant d'aller à l'école ?

– Il n'a vraiment pas l'air bien, a dit maman. Je me demande si... Tu sais, son petit camarade Agnan a les oreillons, et...

– Mais il les a déjà eus, les oreillons, a dit papa. Tire un peu la langue, toi, phénomène.

J'ai tiré la langue, papa m'a passé la main sur les cheveux et il a dit :

– Je crois qu'il s'en tirera... En piste, bonhomme, tu vas être en retard. Et ne fais pas cette tête-là ; si à midi ça ne va pas mieux, tu ne retourneras pas à l'école cet après-midi. D'accord ?

Alors, je me suis levé ; papa, avant de sortir de ma chambre, s'est retourné et il m'a demandé :

– Tu n'as pas d'ennuis à l'école, par hasard ?

– Ben, non, j'ai dit.

Quand je suis arrivé à l'école, les copains étaient déjà là dans la cour, et personne ne parlait beaucoup. Clotaire avait l'air malade et Alceste ne mangeait pas.

– Vous avez vu le Bouillon, les gars ? a dit Eudes. Il rigolera moins tout à l'heure, tiens !

– Oui, a dit Rufus.

– Parce que, a dit Eudes, comme ce traître d'Agnan n'est pas
là, il n'y aura personne pour monter en classe, et pour faire la
classe, ils ont besoin de nous. La maîtresse, quand elle ne nous
verra pas, elle ira demander au Bouillon ce qui se passe et quand
elle saura, elle ira se plaindre au directeur contre le Bouillon. On
va bien rigoler, vous allez voir !

– Mais comment on va faire ? a demandé Clotaire.

– Quand le Bouillon sonnera la cloche, nous a expliqué Eudes,
les autres types vont aller se mettre en rang, mais nous, on va
rester ici, sans bouger. Alors, le Bouillon va venir nous demander pourquoi on ne se met pas en rang et on lui dira : « Enlevez
la suspension de Geoffroy et rendez-lui son ballon, sinon, on ne
va pas en classe ! »

– Qui lui dira ? a demandé Clotaire.

– Ben, je ne sais pas, moi, a dit Eudes. Toi, toi ou toi.

– Moi ? a dit Rufus. Pourquoi moi ? C'est ton idée, après tout.

– J'ai compris, a dit Eudes, tu es un traître ? J'en étais sûr.

– Moi, un traître ? a crié Rufus. Non, Monsieur, je ne suis pas un traître ! Mais je n'aime pas qu'on me prenne pour un idiot ! C'est facile de dire aux autres de faire les guignols !

– Oui, ont dit Clotaire et Maixent.

– Et puis d'abord, j'ai pas à t'obéir ! a crié Rufus. T'es pas le chef de la bande !

– Puisque c'est comme ça, tu ne fais plus partie de la bande ! a dit Eudes.

– Eh bien, tant mieux ! Non, mais sans blague ! a crié Rufus. Moi, je suis pas un lâche qui obéit parce que tu cries plus fort que les autres.

Et Rufus est parti en courant.

– Qu'il s'en aille, a dit Eudes. On n'a pas besoin de traîtres dans la bande.

– Ouais, a dit Maixent. Mais, il a raison, quand il dit que t'es pas le chef, après tout.

– Ah oui ? Eh bien, tu n'as qu'à aller le rejoindre, ce traître, a crié Eudes.

– Parfaitement ! a crié Maixent. Moi, je n'aime pas qu'on me commande !

Et il est parti avec Clotaire et Joachim.

– S'il n'y a plus que nous trois, a dit Alceste, c'est plus la peine, ils pourront faire la classe sans nous, on va être suspendus.

– T'es aussi traître que les autres, quoi, a dit Eudes.

– Et puis, après tout, Geoffroy n'avait qu'à pas faire l'imbécile ! a crié Alceste. Le Bouillon lui avait dit de ne pas jouer avec son ballon, il n'avait qu'à pas faire le guignol !

– T'es du côté du Bouillon maintenant ? lui a demandé Eudes.

– Je ne suis du côté de personne, a répondu Alceste, mais je n'ai pas envie d'être suspendu parce qu'un imbécile a fait le guignol, non mais sans blague ! Après, chez moi, ça fait des histoires et on me prive de dessert. Alors, parce qu'un imbécile a jeté son ballon sur le Bouillon, moi je ne vais pas manger des fraises à la crème ? Mon œil !

Et Alceste est parti en mordant dans un gros sandwich au fromage.

– Eh bien, vas-y, vas-y ! m'a crié Eudes. Qu'est-ce que tu attends ? Toi aussi, t'es un traître ?

– Un traître, moi ? j'ai crié. Pas plus traître que toi, non mais sans blague ! Répète !

On n'a pas pu se battre, parce que la cloche a sonné, mais en allant se mettre en rang pour monter en classe, j'ai dit à Eudes :

– A la prochaine récré, je te prends, et on verra qui est un traître !

Le dentiste

NOUS FINISSIONS DE DÉJEUNER quand maman a dit à papa : « J'ai pris rendez-vous cet après-midi pour Nicolas chez le dé-eu-ène-té-i-esse-té-eu. »

Papa a arrêté de plier sa serviette, a regardé maman avec des grands yeux tout ronds et il a demandé : « Chez qui ? »

– Chez le dentiste, je lui ai expliqué ; je ne veux pas y aller !

Maman m'a dit qu'il fallait aller chez le dentiste, que j'avais mal aux dents depuis plusieurs jours et qu'après le dentiste je n'aurais plus mal du tout. Moi, j'ai expliqué à maman que ce n'était pas après le dentiste, ce qui m'inquiétait, c'était pendant. Et puis j'ai dit que je n'avais plus mal aux dents du tout et je me suis mis à pleurer.

Papa, alors, a frappé sur la table avec sa main et il a crié : « Nicolas, tu devrais avoir honte ! Je n'aime pas ces pleurnicheries ; tu n'es plus un bébé, il faut te conduire en homme. Le dentiste ne te fera pas mal ; il est très gentil et il te donnera des bonbons. Alors tu vas être très courageux et tu vas aller sagement avec ta maman chez le dentiste. »

Maman, alors, a dit que c'était papa qui allait m'emmener chez le dentiste, parce qu'elle avait pris rendez-vous pour lui aussi. Papa, il a eu l'air très surpris. Il a commencé à dire qu'il devait aller travailler, mais maman lui a rappelé qu'il avait congé cet après-midi et que c'est pour ça que le rendez-vous chez le dentiste était pour aujourd'hui. Papa, il a dit d'une petite voix fine que sa dent ne le faisait pour ainsi dire plus souffrir, et qu'on pouvait remettre tout ça à plus tard. Il a regardé maman, il m'a regardé, moi, et j'ai eu l'impression qu'il avait envie de se mettre à pleurer, lui aussi.

Nous sommes donc sortis après le déjeuner, papa et moi, pour aller chez le dentiste. On ne peut pas dire que nous rigolions beaucoup dans la voiture. Papa, je ne l'ai jamais vu conduire si doucement ; il avait l'air de réfléchir très fort. Et puis, sans me regarder, il m'a dit : « Nicolas, d'homme à homme. Qu'est-ce que tu penserais si nous faisions le dentiste buissonnier ? On pourrait aller faire un tour et on ne dirait rien à maman. Ça serait une bonne blague. » J'ai répondu à papa que ce serait sûrement une bonne blague et que moi j'étais pour, mais que je ne croyais pas que maman ça l'amuserait beaucoup, cette blague-là. Papa, il a soupiré et, très triste, il m'a dit qu'il avait parlé de ça pour rire. J'admire mon papa, parce qu'il a le courage de dire des blagues quand il est embêté.

Il y avait juste une place pour l'auto devant chez le dentiste. « C'est incroyable, a dit papa ; quand on a envie de se garer, on ne trouve jamais. » J'ai proposé à papa que nous faisions encore un tour de pâté de maisons, peut-être que la place serait prise ; mais papa a dit que le sort en était jeté, qu'il n'y avait qu'à y aller. Papa a sonné à la porte du dentiste et j'ai dit : « Il n'y a personne, papa, on reviendra un autre jour. » On allait partir quand la porte s'est ouverte, et une demoiselle qui avait l'air très gentille nous a dit d'entrer, que le docteur nous recevrait tout de suite.

On nous a fait entrer dans un petit salon. Il y avait des fauteuils, une petite table avec des revues, sur la cheminée une jolie petite statue en métal qui représentait un monsieur tout nu qui essayait d'arrêter des chevaux et, dans un fauteuil, un autre monsieur, mais pas en métal celui-là, et tout habillé. Nous nous sommes assis et nous avons pris les revues pour les lire, mais ce n'était pas très amusant, parce que dans presque tous ces journaux, il était question de dents, avec des images d'appareils et de ces photos où on voit les gens par l'intérieur ; et ce n'était pas très joli. Les autres revues étaient assez vieilles et déchirées.

La seule chose qui m'a plu, c'était celle où on voyait Robic en maillot jaune sur la couverture et où on expliquait comment il venait de gagner le Tour de France. Le monsieur, qui n'avait rien dit jusqu'à présent, quand il a vu que nous ne lisions plus les journaux, s'est mis à parler avec papa.

« C'est pour le petit que vous venez ? », il a demandé. Papa lui a répondu que c'était pour nous deux. Le monsieur a dit qu'il ne

fallait pas être inquiet, que c'était un très bon dentiste. « Bah ! a
dit papa, nous n'avons pas peur, n'est-ce pas Nicolas ? », et moi,
comme j'étais très fier de papa, j'ai fait comme lui : « Bah ! »
Alors, le monsieur a dit que nous avions bien raison, que ce dentiste avait une main légère, légère, et il nous a expliqué qu'il lui
avait fait une opération où il avait dû ouvrir les gencives et qu'il
n'avait presque rien senti, et il nous a donné un tas de détails.
Moi, je me suis mis à pleurer et la demoiselle qui nous avait ouvert
la porte est venue en courant et elle nous a amené deux verres
d'eau, parce que papa n'avait pas trop bonne mine, lui non plus.

Le dentiste, alors, a ouvert la porte et il a dit : « Au suivant ! »
Le monsieur qui nous avait raconté ses opérations est entré chez
le dentiste en souriant : « Tu vois, m'a dit papa, il n'a pas peur le
monsieur, il faut être comme lui. » Papa allait prendre une
revue, pour lire, quand le dentiste a ouvert de nouveau sa porte
et le monsieur est sorti, toujours en souriant. « Comment ! a crié
papa, c'est déjà fini ? »

– Mais oui, a dit le monsieur, moi je n'étais venu que pour
payer. C'est à vous maintenant, mon pauvre vieux.

Et il est parti en rigolant.

– Au suivant, a dit le dentiste, dépêchez-vous, je vous en prie, j'ai une journée très chargée.

– Nous reviendrons un autre jour, a dit papa, quand vous aurez plus de temps ; nous ne voulons pas vous déranger, n'est-ce pas Nicolas ?

Moi, j'étais déjà devant la porte de sortie quand le dentiste a dit que pas de bêtises, c'était à nous et qu'il n'y avait aucune raison de s'inquiéter. Papa a dit qu'il n'était pas inquiet du tout, qu'il avait fait la guerre, et il m'a poussé devant lui chez le dentiste.

C'était plein d'appareils blancs qui brillaient dans la pièce et il y avait un grand fauteuil de coiffeur chez lui. « Par qui commence-t-on ? » a demandé le dentiste en se lavant les mains. « Commencez par le petit, a dit papa, moi j'ai le temps. » Je voulais dire que j'avais moi aussi tout mon temps, mais le dentiste m'a pris par le bras et m'a fait asseoir dans le fauteuil.

Il était drôlement gentil, le docteur, il m'a dit qu'il ne me ferait pas mal, qu'il me mettrait juste un peu de pâte pour boucher un trou dans une dent, que je mangeais sûrement trop de sucreries, mais qu'il me donnerait un caramel si j'étais bien sage pendant qu'il me soignait. Il m'a dit d'ouvrir la bouche, il a regardé dedans, il a gratté un peu et puis il a approché un appareil avec une petite roue qui tournait très vite. Papa a poussé un cri quand le dentiste a mis la roulette dans ma bouche. Ça a secoué un peu dans ma tête, après, le dentiste a mis de la pâte dans ma dent, il m'a fait rincer la bouche, il m'a dit : « C'est fini ! » et il m'a donné un caramel. J'étais drôlement content.

Le dentiste a dit à papa que c'était son tour, maintenant. Mais papa a dit qu'il se faisait très tard et qu'il avait encore des tas de courses à faire. Le dentiste s'est mis à rire et il lui a dit qu'il fallait être sérieux. Là, je n'ai pas compris, parce que je n'ai jamais vu mon papa aussi sérieux que ce jour-là.

Papa a hésité, puis il est allé lentement vers le fauteuil du coiffeur. « Ouvrez la bouche ! » a dit le docteur. Papa devait penser à autre chose parce que le dentiste a dû répéter : « Ouvrez la bouche, ou je passe à travers ! » Papa a obéi. Moi, j'ai regardé les photos de dents qu'il y avait sur les murs chez le dentiste, quand j'ai

entendu un grand cri. Je me suis retourné et j'ai vu le dentiste qui secouait sa main. « Si vous me mordez encore une fois, je vous arrache une dent, n'importe laquelle ! » Papa a dit que c'était nerveux. Le dentiste a pris la roulette et j'ai prévenu papa de faire attention, parce que ça, ça secouait un peu ; alors papa a crié et le dentiste lui a demandé de se tenir tranquille parce que ça faisait mauvais effet sur la clientèle qui se trouvait dans le salon d'attente. Enfin, avec papa, ça n'a pas duré trop longtemps et ça s'est très bien passé, sauf quand papa a donné un coup de pied sur le genou du dentiste. Papa est sorti du fauteuil tout souriant.

– Alors, Nicolas, il m'a dit, nous nous sommes conduits en hommes, hein ?

– Oh ! Oui, papa, je lui ai répondu.

Et nous sommes sortis de chez le dentiste, papa et moi, fiers comme tout, en suçant chacun notre caramel.

Hoplà !

GEOFFROY EST ARRIVÉ AUJOURD'HUI à l'école avec une grosse boîte sous le bras. Geoffroy a un papa très riche qui lui achète tout le temps des choses terribles.

A la récré, Geoffroy nous a montré ce qu'il y avait dans sa boîte : c'était un jeu, avec un grand carton qu'on déplie et sur lequel il y a des cases dessinées avec des numéros ; et puis il y a des dés, et puis il y a des petits animaux, et puis il y a des billets où il y a écrit 100 francs, 1000 francs et 1 million de francs. Très chouette !

Geoffroy nous a expliqué qu'il avait bien appris la règle du jeu, que c'était assez difficile, mais qu'il avait tout compris : on jouait avec les dés, on faisait avancer les petits animaux sur les cases, et puis on avait le droit d'acheter des cases avec les billets, et quand quelqu'un passait après sur les cases, celui qui avait acheté les cases criait : « Hoplà ! », et l'autre devait le payer pour passer.

Celui qui avait toutes les cases était le grand Hoplà, et c'était lui qui gagnait. Le papa de Geoffroy avait dit à Geoffroy que c'était un jeu drôlement instructif, qui allait développer chez lui le sens du commerce, et que ça valait mieux de jouer à ça qu'à nos jeux de sauvages qui ne servaient qu'à attraper des tas de bosses. Le jeu s'appelait « Hoplà ».

– On va y jouer maintenant, a dit Geoffroy.

– Pendant la récré ? a demandé Rufus.

– Et pourquoi pas ? a dit Geoffroy.

– Ben, c'est pas un jeu pour une récré, a dit Rufus. Un jeu pour une récré, c'est le foot, ou la balle au chasseur, ou le rugby à quinze, ou les cow-boys et les Indiens. Mais ton jeu, c'est un jeu pour jouer à la maison quand il pleut. Et puis, d'ailleurs, c'est un jeu de filles.

– Eh ben, t'auras qu'à pas jouer à mon jeu, a dit Geoffroy. Après tout, on n'a pas besoin de toi.

– Tu veux une claque sur la figure ? a demandé Rufus.

Et ils allaient commencer à se battre, mais Clotaire a dit que s'ils commençaient à faire les guignols, la récré allait se terminer sans qu'on ait le temps de jouer. Et Rufus a dit que bon, qu'il était d'accord, mais qu'il avait le droit de jouer comme tout le monde, même si le jeu ne lui plaisait pas, et que si on l'empêchait de jouer, il allait donner une claque sur la figure de celui qui allait essayer de l'en empêcher, et Geoffroy a dit : « Ah oui ? » et Clotaire a dit que s'ils commençaient à faire les guignols, la récré allait se terminer sans qu'on ait le temps de jouer.

Alors nous sommes tous allés dans un coin de la cour, nous avons mis le « Hoplà » par terre et nous nous sommes assis autour.

– Bon, a dit Geoffroy, chacun doit se choisir un animal. Moi, je prends le cheval.

– Et pourquoi, je vous prie ? a demandé Joachim.

– Parce que c'est celui qui me plaît le mieux et parce que le jeu est à moi, voilà pourquoi je prends le cheval, a dit Geoffroy.

– Ah oui ? a demandé Joachim.

Et Clotaire a dit que s'ils allaient se battre, la récré allait se terminer sans qu'on puisse jouer, et que c'était terrible qu'on ne puisse pas se tenir tranquilles pour une fois que la maîtresse ne l'avait pas privé de récré. Il a bien raison, Clotaire.

147

– Pour Clotaire, a dit Rufus, il n'y a qu'à lui donner l'âne.

Et Clotaire lui a donné une grosse baffe, et ils ont commencé à se battre. Et puis Geoffroy nous a distribué les animaux de son jeu ; moi, j'ai eu le chien ; Maixent le poulet ; Eudes la vache ; et Alceste a été très content d'avoir le cochon. Alceste m'a dit une fois qu'il aimait beaucoup les cochons depuis qu'il avait lu que tout se mange dans le cochon, et qu'avec ce qui reste on fait de la charcuterie. Pour Clotaire et pour Rufus, il n'y avait plus d'animaux, mais ce n'était pas grave, parce qu'ils étaient occupés à se donner des baffes et à se dire : « Essaye un peu ! »

– Bon, a dit Geoffroy, alors, on met tous les animaux sur la ligne de départ, et moi je commence.

– Et pourquoi, je vous prie ? a demandé Joachim.

– Parce que c'est toujours le cheval qui commence, a expliqué Geoffroy ; c'est écrit dans les règles du jeu.

Et il a jeté les dés, il a sorti un double six, il a avancé son cheval d'un tas de cases et il a pris un paquet de billets. Maixent a jeté les dés ensuite, et il a sorti un deux et un trois, et Geoffroy lui a dit qu'il devait avancer son poulet de cinq cases. Alors, Maixent a avancé son poulet et Geoffroy a crié : « Hoplà ! »

– Quoi, hoplà ? a demandé Maixent.

– Ben oui, a dit Clotaire. Tu es dans la case de Geoffroy, là ; si tu veux en sortir, tu dois payer.

– Et de quoi tu te mêles, toi ? lui a demandé Maixent.

– D'abord, j'ai le droit de me mêler si je veux, a dit Clotaire. Et puis je suis en récré, comme tout le monde. Rufus et moi, on a fini de se battre, et moi je veux jouer au « Hoplà », et si ça ne te plaît pas, je peux te donner une baffe.

Pendant que Clotaire et Maixent se battaient, Rufus a pris le poulet et il a dit qu'il allait jouer à la place de Maixent. Et puis Eudes a jeté les dés et il a eu un double deux.

– Tu dois aller en prison, lui a dit Geoffroy.

Mais Eudes a dit qu'il n'avait pas envie d'aller en prison, alors Geoffroy a dit que bon, dans ce cas, il n'avait pas besoin d'y aller. Ça, je ne crois pas que c'était dans les règles du jeu ; je crois que c'était parce que Eudes est très fort et que Geoffroy n'aime pas tellement se battre avec lui. Alors, moi, j'ai joué, et j'ai eu double six.

– Tu dois payer une amende, m'a dit Geoffroy. Le deuxième qui sort un double six paye une amende au premier, c'est dans les règles du jeu. Tu me dois un million.

Je lui ai dit qu'il me faisait bien rigoler, et que je ne payerais pas son amende. Alors, Eudes a dit qu'il fallait observer les règles du jeu, sinon ce n'était pas drôle. Et moi, je lui ai donné un coup de pied, à Eudes, parce qu'à moi il ne me fait pas peur, non mais sans blague, et lui il m'a donné un coup de poing sur le nez et ça m'a fait pleurer, mais les yeux seulement ; ça me fait toujours ça quand Eudes me tape sur le nez, c'est drôle, et j'ai dit à Geoffroy que coup de poing sur le nez ou pas, qu'il me faisait tout de même bien rigoler et que je ne payerais pas son million. Et Geoffroy m'a dit que si je ne payais pas, je ne pouvais plus jouer au « Hoplà », et j'ai donné un coup de pied au « Hoplà ».

Mais, comme c'était le tour d'Alceste de jouer et qu'il avait avancé la main, et que dans sa main il avait les dés et sa tartine, c'est la tartine qui a tout pris, et Alceste s'est drôlement fâché. Et Geoffroy a dit qu'on était tous des jaloux parce que nos papas ne nous donnaient pas d'aussi beaux jeux et qu'il était en train de gagner.

– Tu me fais rigoler, a dit Eudes, c'est moi qui étais en train de gagner ; j'allais être le grand « Hoplà ».

Et Geoffroy a dit à Eudes que tout ce qu'il était, c'était le grand imbécile, et ils ont commencé à se battre.

On rigolait bien, et Maixent criait : « Une passe ! Une passe ! », et Rufus lui a passé le cochon d'Alceste, et Eudes était assis sur

150

Geoffroy, et il voulait lui faire manger deux billets de 1000.

Et puis, le Bouillon est arrivé en courant. Le Bouillon, c'est notre surveillant, et il n'aime pas qu'on rigole pendant la récré. Il nous a tous envoyés au piquet, il a confisqué ce qui restait du « Hoplà », il a donné une retenue à Geoffroy et une autre à Clotaire qui ne voulait pas aller au piquet.

Mais, le lendemain, Geoffroy a dit que pour sa retenue à lui, ça allait peut-être s'arranger, parce que son papa devait venir se plaindre au directeur, parce qu'il ne comprenait pas le motif de la punition.

« Cet élève est consigné pour avoir apporté un jeu dangereux à l'école, qui développe les instincts brutaux de ses camarades. »

Chapitre III
Le mariage de Martine

Le mariage de Martine

AUJOURD'HUI SAMEDI, je ne suis pas allé à l'école, parce que ma cousine Martine s'est mariée et toute la famille a été invitée.

Le matin, nous nous sommes levés tôt, à la maison, et puis maman m'a dit de faire ma toilette drôlement bien, sans oublier les oreilles, je vous prie, jeune homme, et puis elle m'a coupé les ongles, elle m'a peigné avec la raie sur le côté et des tas de brillantine à cause de mon épi ; elle m'a mis la chemise blanche qui brille, le nœud papillon rouge, le costume bleu marine, les chaussures noires qui brillent encore plus que la chemise, un mouchoir dans la poche de devant du veston, pas pour se moucher, mais pour faire joli, et j'étais bien content que les copains ne puissent pas me voir.

Papa avait mis son costume avec les rayures et il s'est un peu disputé avec maman, qui voulait qu'il mette la cravate qu'elle lui avait donnée. Mais papa a dit qu'elle était un peu gaie pour un mariage et il a mis une cravate grise.

Maman, elle, avait une robe terrible, avec des fleurs peintes dessus et un très grand chapeau, et ça m'a fait drôle de voir maman avec un chapeau, mais ça lui allait très bien.

Et quand nous sommes sortis, M. Blédurt, qui est un voisin, et qui était dans son jardin, nous a dit qu'on était très chouettes, tous les trois. Papa, je ne sais pas pourquoi, ça ne lui a pas plu ce

qu'avait dit M. Blédurt, et il lui a répondu que la caravane passait et qu'il y avait des chiens qui aboyaient ! Mais moi, je ne comprends rien à ce qu'ils racontent, papa et M. Blédurt !

Quand nous sommes arrivés à la mairie, presque toute la famille était déjà là : il y avait mémé, tante Mathilde, oncle Sylvain, tante Dorothée et tonton Eugène, qui m'ont tous embrassé et qui m'ont dit que j'avais grandi. Il y avait aussi mes cousins Roch et Lambert, qui sont pareils parce qu'ils sont jumeaux ; Clarisse, leur sœur, et qui n'est pas pareille à eux parce qu'elle est plus grande, et qui avait une robe blanche toute dure avec des petits trous partout, et mon cousin Eloi, qui m'a fait rigoler avec ses cheveux aplatis et ses gants blancs. Et puis il y avait des gens que je ne connaissais pas : le fiancé de Martine, qui était tout rouge, avec un veston noir, très long derrière, comme dans un film que j'ai vu ; et puis il y avait une demoiselle qui était sa sœur et un monsieur qui disait à une dame de cesser de pleurer, que c'était ridicule.

Et puis une grande auto noire est arrivée, avec des fleurs partout, et tout le monde a crié, et de l'auto sont descendus Martine et ses parents. Et la maman de Martine avait les yeux tout rouges, et elle se mouchait tout le temps. Martine, qui est drôlement jolie, était chouette comme tout, habillée en blanc, avec un voile qui s'est pris dans la portière de l'auto et un petit bouquet dans les mains. Avec sa robe de mariée, on aurait dit qu'elle allait faire sa première communion.

Nous sommes tous entrés dans la mairie et on a dû attendre qu'un autre mariage sorte pour entrer à notre tour, et la maman de Martine et celle du fiancé de Martine ont continué à pleurer, et puis on nous a dit que c'était à nous de rentrer. Nous sommes entrés dans une salle chouette comme tout, avec des bancs rouges, et on se serait cru au guignol, mais au lieu de guignol il y avait une table, et un monsieur est entré avec une ceinture bleu

blanc rouge – c'était le maire – et on s'est tous levés, comme à l'école quand le directeur entre en classe. Et puis on s'est assis et le maire nous a fait un discours où il a dit que Martine et son fiancé allaient partir sur un bateau, qu'il y aurait des tas de tempêtes, mais qu'il comptait sur eux pour éviter les écueils. Mais je n'ai pas entendu tout ce qu'il avait dit parce que j'étais assis juste derrière la maman de Martine, et elle faisait beaucoup de bruit en pleurant, et ça avait l'air de l'embêter beaucoup de savoir que Martine allait partir en voyage sur un bateau, avec toutes ces tempêtes.

Et puis Martine, son fiancé, tonton Eugène et la sœur du fiancé de Martine se sont levés pour aller signer dans un grand livre, et le maire a dit que Martine et son fiancé étaient mariés ; et on a dû partir vite, parce qu'il y avait un autre mariage qui attendait.

Nous sommes sortis de la mairie, et le monsieur qui avait déjà pris des photos nous a fait tous mettre en rang pour nous photographier de nouveau ; Martine et son mari au milieu, les autres autour et les petits devant. Tout le monde a fait de gros sourires, même la maman de Martine et celle du mari de Martine, qui se sont remises à pleurer après la photo. Après, on a pris les autos et nous sommes allés à l'église, et Martine et son mari se sont remariés et c'était très chouette ; il y avait de la musique et des fleurs, et à la sortie de l'église il y avait le monsieur des photos qui nous attendait et il nous a fait tous rentrer dans l'église et sortir de nouveau pour prendre ses photos. Et puis après, il nous a rangés sur les marches de l'église, comme devant la mairie, et il y avait des gens sur le trottoir qui nous regardaient en rigolant.

On a pris les autos de nouveau et nous sommes allés au restaurant. Papa m'a expliqué qu'on avait loué une salle rien que pour nous et qu'il fallait que je sois sage, que je ne me dispute pas avec mes cousins, et maman m'a dit de ne pas trop manger, pour ne pas

160

être malade. Tonton Eugène, qui a un gros nez rouge et qui était dans l'auto avec nous, a dit qu'on me laisse tranquille, que ce n'était pas tous les jours qu'il y avait un mariage dans la famille, et papa lui a répondu que lui il pouvait parler, et qu'est-ce qu'il attendait pour se marier. Et tonton Eugène a répondu qu'il ne se marierait qu'avec maman, et maman a rigolé et elle a dit que tonton Eugène ne changerait jamais, et papa a dit que c'était dommage ! Et quand nous sommes arrivés au restaurant, le monsieur des photos nous attendait et il a pris encore des photos.

Dans le restaurant, il y avait des gens qui criaient : « Vive la mariée ! », et nous sommes montés par un escalier et nous sommes arrivés dans une petite salle où il n'y avait personne, sauf une grande table qui était si belle qu'elle donnait faim, avec des tas de verres et de fleurs et le monsieur des photos, qui était monté très vite avant nous, pour nous photographier.

En attendant de nous asseoir à table, avec Roch, Lambert et Eloi, on a commencé à courir et à glisser sur le parquet, et Roch et Lambert sont tombés et tous les parents nous ont dit de nous tenir tranquilles, et tante Dorothée a dit que c'était normal qu'ils s'énervent ces enfants, qu'on n'avait pas idée de faire des cérémonies aussi longues, qu'elle était épuisée, qu'elle n'en pouvait plus, et elle s'est mise à pleurer, et tante Amélie l'a accompagnée dehors pour prendre l'air.

Et puis on s'est tous assis et on nous a mis, Roch, Lambert, Eloi et moi, à un bout de table ; Clarisse a voulu rester à côté de sa maman pour qu'elle lui coupe sa viande, mais ça c'est un prétexte, je sais que Clarisse a peur quand elle est loin de sa maman. Et puis les garçons sont arrivés en portant des poissons avec de la mayonnaise, et maman a dit : « Pas de vin pour les enfants ! » Roch, Lambert, Eloi, moi et mémé on a protesté, mais il n'y a rien eu à faire et on a eu de la limonade, qui est très chouette, avec le poisson.

Le déjeuner a été terrible et ça a duré longtemps, et je ne me sentais pas trop bien, et puis tonton Eugène s'est levé et il a commencé à faire un discours rigolo comme tout, mais papa lui a dit de se taire à cause des enfants. Alors, tonton Eugène a mis le chapeau de maman et il a fait chanter tout le monde qui rigolait, sauf la maman de Martine et celle du mari de Martine, qui pleuraient.

Et puis on a apporté un gâteau terrible, avec des tas d'étages et des bouteilles de champagne. Martine s'est levée, elle a fait semblant de couper le gâteau, le photographe a pris des photos et tout le monde a applaudi. Et puis le photographe a demandé au mari de Martine de se lever, de reboutonner son gilet et de faire semblant de couper le gâteau avec Martine. Et puis c'est tonton Eugène qui a coupé le gâteau pour de vrai et qui a fait la distribution, en disant que les deux plus grosses parts c'était pour les mariés ; tout le monde a rigolé et maman a dit : « Pas trop pour les enfants. » Nous et mémé on n'a pas été contents et mémé a dit qu'il fallait au moins nous donner du champagne pour trinquer. Alors, on nous en a donné un peu au fond du verre, et c'est drôlement bon. Et puis j'ai été malade et papa et maman m'ont ramené très vite à la maison.

Ça a été une chouette journée, et quand je serai grand, je me marierai, moi aussi. Comme ça j'aurai autant de champagne que je voudrai, et la plus grosse part du gâteau !

La piscine

Quand j'ai dit à maman qu'avec les copains on avait décidé d'aller à la piscine, maman m'a dit :

– Non, non et non, Nicolas ! Chaque fois que tu sors avec tes amis, ça fait des drames et des catastrophes. Tu n'iras pas à la piscine !

Alors, je suis allé demander la permission à papa, qui lisait son journal et qui m'a dit :

– Hmm ? Quoi ? Oui, oui, si tu veux. Va jouer maintenant.

Et quand maman a su que papa m'avait donné la permission d'aller à la piscine, elle s'est fâchée, elle s'est disputée avec lui, elle m'a grondé, tout le monde a crié, et puis nous nous sommes réconciliés. Papa a embrassé maman, maman m'a embrassé, elle a dit qu'elle allait faire des frites et que je pouvais aller à la piscine, à condition d'être prudent.

– Oui, fais tout de même attention, Nicolas, m'a dit papa. Nous te faisons confiance, mais tes copains ce sont de drôles de guignols !

Avec les copains, nous nous sommes tous rencontrés devant l'entrée de la piscine – il y a une piscine très chouette pas loin dans le quartier – et là, il y a eu des histoires, à cause du bateau de Maixent. Le monsieur qui vend les billets au guichet a demandé à Maixent ce qu'il allait faire avec ce bateau.

– Ben, a répondu Maixent, je vais le mettre à l'eau, dans la piscine, tiens !

– Non, non, a dit le monsieur. C'est interdit. Tu peux blesser des gens avec ça. Si tu veux entrer, tu laisseras ton jouet au vestiaire.

Alors, Maixent s'est fâché, il a dit qu'il n'avait pas amené son chouette bateau pour le laisser au vestiaire, et que s'il payait son billet, il avait le droit de mettre tout ce qu'il voulait dans la piscine.

– Tu n'entreras pas dans la piscine avec ce bateau, a dit le monsieur. Un point, c'est tout.

– Allez, les gars, a dit Maixent, on s'en va.

Et il est parti, avec son bateau.

Il y avait un tas de monde dans la piscine. C'est très chouette, l'eau est toute bleue et il y a des plongeoirs terribles. Et puis, c'est très bien organisé, on a des cabines pour se déshabiller, et parce que c'est plus rigolo, on s'est tous mis dans la même cabine. Alceste et Joachim sont venus aussi, mais eux, ils ne se déshabillent pas ; Alceste, parce que ça faisait moins de deux heures qu'il avait mangé, il ne pouvait pas se baigner, et Joachim, qui ne peut pas se baigner parce qu'il est enrhumé. Et puis, on a frappé à la porte de la cabine et une grosse voix a crié :

– Qu'est-ce que vous faites là-dedans ? Voulez-vous bien sortir !

Nous sommes sortis, et le monsieur, c'était lui qui avait crié, a ouvert des yeux tout ronds quand il nous a vus.

– Il n'y en a plus ? il a demandé. Bon. Ecoutez, les enfants, vous m'avez l'air d'être une drôle de bande. Tenez-vous bien, et ne faites pas d'imprudences. Je vous surveille… Vous deux, là, vous ne vous déshabillez pas ?

– Non, a dit Joachim. Je ne me baigne pas. Je suis malade.

– Moi, je ne me baigne pas pour ne pas être malade, a dit Alceste.

Le moniteur n'a plus rien dit, et il est parti en remuant la tête, comme fait le Bouillon, qui est notre surveillant, à l'école.

– On y va les gars ! j'ai crié. Le dernier à l'eau, c'est un guignol !

– Attendez ! a dit Geoffroy. J'ai apporté quelque chose de terrible ! Regardez !

Et c'est vrai, on n'avait même pas remarqué que Geoffroy avait un gros paquet. Il a ouvert le paquet, et dedans, il y avait un cheval en caoutchouc, dégonflé, rouge avec des pois blancs.

– On va le gonfler, et ça va être formidable, a dit Geoffroy. Mon père me l'a acheté l'année dernière, quand nous sommes allés en vacances à la plage.

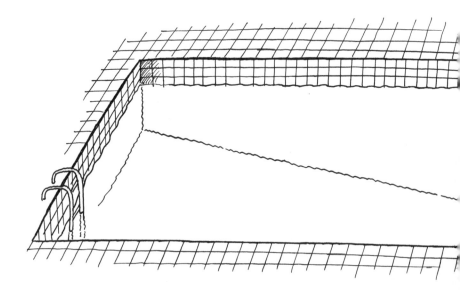

– Oh, ce qu'il est chouette ! a crié Clotaire.

Nous, on a tous été d'accord avec Clotaire, et Eudes a dit :

– C'est surtout bien pour ceux qui ne savent pas nager.

– C'est pour moi que tu dis ça ? a demandé Rufus.

Pendant que Rufus et Eudes discutaient, Geoffroy était en train de gonfler le cheval en soufflant, et c'était très dur. Il était tout rouge, Geoffroy. Joachim a voulu l'aider, mais Geoffroy a dit que non, que c'était son cheval. Et puis, quand le cheval a été presque gonflé, on a entendu « psss », et le cheval a commencé à se dégonfler. Il faisait une drôle de tête, Geoffroy !

– Il doit y avoir un trou, a dit Clotaire.

Alors, on s'est tous penchés pour chercher, et Clotaire a crié :

– Oui ! Regarde là ! C'est décousu !

Geoffroy était bien embêté, et il a dit qu'on pourrait peut-être arranger le cheval avec du papier collant.

– Aidez-moi à trouver du papier collant, les gars ! a dit Geoffroy.

– Trouve-le tout seul, ton papier collant, a dit Joachim. C'est ton cheval.

Et Joachim est allé demander à Alceste de lui donner un morceau de croissant, mais Alceste a refusé en disant que c'était son croissant.

– Moi, je vais t'aider, a dit Clotaire.

Et Geoffroy et Clotaire sont allés chercher du papier collant.

– Le dernier dans l'eau, c'est un guignol ! j'ai crié.

– Chiche que tu ne plonges pas du grand plongeoir ! a dit Eudes à Rufus.

– Bah, a dit Rufus, je plongerais bien, mais je n'en ai pas envie.

– Bien sûr ! a dit Eudes en rigolant. T'as pas envie, parce que si tu plonges, tu te noies. Tu racontes toujours que t'as sauvé des gens qui se noyaient, mais tu sais pas nager.

– Moi, je sais pas nager ? a crié Rufus. Tu me fais rigoler, tiens !

– Si je te fais rigoler, a dit Eudes, plonge du grand plongeoir !

– Si tu ne me laisses pas tranquille, t'auras une baffe, a crié Rufus, qui était en train de se fâcher drôlement.

– Essaie seulement, a dit Eudes.

Rufus a poussé Eudes, et le moniteur est arrivé en courant. Il a pris Eudes et Rufus, chacun par un bras, et il a dit :

– Dernier avertissement. Si vous continuez, je vous envoie vous rhabiller, et vous rentrerez chez vous. C'est compris ?

– M'sieur... a dit Clotaire.

– Qu'est-ce qu'il y a encore ? a demandé le monsieur en se

retournant.

– Vous auriez pas du papier collant ? a demandé Geoffroy. C'est pour mon cheval.

Le moniteur s'est frotté la bouche avec la main, il a regardé Geoffroy et Clotaire en faisant des tout petits yeux et il est parti sans répondre.

– Pas moyen de trouver du papier collant, nous a expliqué Geoffroy. On a demandé à tout le monde. Je crois que pour le cheval, c'est fichu. Il faudrait des rustines.

– Moi, j'en ai à la maison, pour mon vélo, a dit Clotaire. Si tu veux, je vais aller en chercher.

Et Clotaire est allé se rhabiller pour aller chercher des rustines chez lui. C'est un très bon copain, Clotaire.

– Bon, a dit Eudes. Tu y vas, du grand plongeoir ?

– J'irai si j'ai envie, a dit Rufus.

– Les gars ! j'ai crié. On y va ! Le dernier dans l'eau, c'est un guignol !

J'ai couru, je me suis pincé le nez, et j'ai sauté dans la piscine. L'eau était drôlement bonne, mais quand j'ai regardé, j'ai vu que les copains n'avaient pas sauté ; ils étaient autour de Rufus, d'Eudes et du moniteur qui criait, et qui a envoyé tout le monde dans les cabines se rhabiller.

Je crois que papa a raison : les copains, c'est tous des guignols !

Les bonbons

M. BLÉDURT EST NOTRE VOISIN et c'est un bon copain de papa. Ils aiment bien se taquiner, mais chaque fois qu'ils commencent à faire les guignols ensemble, ils se fâchent et ils ne se parlent plus. Cette fois-ci, papa et M. Blédurt ne se parlaient plus depuis le jour où papa, pour rigoler, a envoyé une boîte de petits pois, vide, par-dessus la haie dans le jardin de M. Blédurt, et M. Blédurt, lui, il n'a pas rigolé ; il a dit que son jardin n'était pas un dépotoir et que la blague de papa était idiote et qu'il aurait pu blesser quelqu'un. Et puis comme papa continuait de rigoler, il a jeté la boîte de petits pois dans notre jardin, et il a crié : « Tu peux la reprendre, ta boîte ! », et à papa ça ne lui a pas plu, et pendant des tas de semaines, papa et M. Blédurt ne se sont plus dit bonjour.

C'est pour ça que j'ai été étonné quand maman m'a dit qu'après dîner les Blédurt allaient venir prendre le café ; mais je sais que quand papa et M. Blédurt se fâchent, maman et Mme Blédurt les font se réconcilier, et ils redeviennent drôlement copains, jusqu'à ce qu'ils recommencent à faire les guignols ensemble.

On avait fini de dîner depuis un petit moment quand on a sonné à la porte, et c'était M. et Mme Blédurt et tout le monde rigolait, et papa et M. Blédurt se sont donné la main, et maman a dit qu'au fond ils agissaient comme deux grands gosses, et moi, j'étais drôlement content parce que M. Blédurt a donné une boîte de bonbons terrible à maman en disant :

– Après les petits pois de la discorde, voici les bonbons de la concorde !

Et maman a beaucoup rigolé, et elle lui a dit qu'il n'aurait pas dû ; mais moi, j'ai trouvé que c'était une chouette idée qu'il avait eue, M. Blédurt, parce que moi j'aime bien les bonbons, on n'en achète jamais, on en apporte à maman, et en général on lui apporte plutôt des fleurs et des fleurs c'est joli, mais c'est bête comme cadeau, parce que ça ne se mange pas, et on en a plein dans le jardin.

Maman m'a laissé prendre un bonbon ; il y en avait des tas dans la boîte, et ce qui est chouette, c'est que j'ai vu qu'il y avait deux étages de bonbons, pas comme dans la boîte qu'a apportée M. Barlier, où l'étage d'en dessous c'était du papier. Maman m'a

dit qu'il ne fallait pas choisir, alors j'en ai pris un enveloppé dans du papier doré, et c'en était un à la liqueur, ceux que je préfère, et comme je ne m'y attendais pas, ça m'a coulé sur le menton, et tout le monde s'est mis à rigoler et à m'embrasser, et maman a dit qu'il était tard, que demain il y avait école et que j'aille faire dodo.

Le matin quand je me suis levé, j'ai demandé si je pouvais avoir un bonbon et maman m'a dit que je me lave, que je m'habille, que je prenne mon café au lait avec des tartines, et qu'après on verrait. Moi j'ai dit que plutôt que le café au lait et les tartines, j'aimerais mieux un bonbon, mais maman a dit non. Après le petit déjeuner, juste avant de partir à l'école, maman m'a laissé prendre un bonbon, et j'en ai encore pris un à la liqueur ; mais comme j'étais prévenu cette fois-ci, je l'ai mis d'un seul coup dans ma bouche pour que ça ne me coule pas sur le menton. J'ai demandé si je pouvais apporter des bonbons à l'école pour la récré, mais maman a dit que c'était ridicule et que je parte tout de suite si je ne voulais pas être en retard, et moi j'ai demandé pourquoi je n'aurais pas le droit d'apporter des bonbons à l'école, que les copains apportaient bien des tas de choses, eux, et maman a dit que si je continuais, elle allait se fâcher. Et je suis parti à l'école en pleurant, parce que c'est pas juste, c'est pas juste, et c'est pas juste !

A l'école, j'ai raconté à Alceste – un copain – que nous avions eu une boîte de bonbons à la maison.

– Combien d'étages ? m'a demandé Alceste.

Quand il a su qu'il y avait deux étages, Alceste a dit que c'était très intéressant et à midi, en sortant de l'école, il m'a accompagné à la maison. Quand nous sommes entrés, maman a été tout étonnée de voir Alceste.

– Il vient regarder notre boîte de bonbons, j'ai expliqué.

– Mais, c'est absurde ! a crié maman. Et ta maman qui t'attend sûrement pour déjeuner ! Veux-tu filer tout de suite ! En voilà une idée !

172

Alors, Alceste s'est retourné vers la porte et il s'est mis à marcher tout doucement en traînant les pieds. Maman a mis sa main sur sa bouche, comme elle fait quelquefois pour que je vois pas qu'elle rigole, et elle a dit :

– Nicolas, donne tout de même un bonbon à ton petit camarade. Il le mangera après le déjeuner, pour ne pas se couper l'appétit.

Ça, ça a fait rigoler Alceste, et moi je lui ai donné un bonbon avec des drôles de choses vertes dessus.

– J'aimerais mieux un avec du papier doré, m'a dit Alceste. Avec le papier doré, ils sont à la liqueur. Tu parles si je m'y connais !

Moi, je lui ai dit qu'il ne fallait pas choisir. Alceste m'a crié que je n'étais pas un copain ; moi je lui ai répondu que si ça ne lui plaisait pas, il n'avait qu'à me le rendre le bonbon avec les drôles de choses vertes dessus, qu'après tout il n'était pas chez lui, non mais sans blague ! Maman, qui ne rigolait plus, nous a demandé si ce n'était pas bientôt fini et Alceste est parti fâché en mangeant son bonbon avec les drôles de choses vertes dessus.

Et puis quand j'ai voulu prendre un bonbon à mon tour, maman m'a demandé si je ne devenais pas fou, que je n'en prendrais pas avant de déjeuner.

– Alors, Alceste peut, et pas moi ? j'ai demandé.

– Tu vas me faire le plaisir d'aller te laver les mains et de ne plus parler de ces bonbons ! a crié maman, qui des fois est drôlement injuste. Je dois finir de préparer le déjeuner, ton père ne va pas tarder, et tu sais qu'à midi il est toujours très pressé.

– Si Alceste a le droit d'avoir un bonbon, moi aussi, j'ai le droit ! j'ai crié. Pourquoi est-ce que ce serait Alceste, le préféré ?

– Tu veux une claque ? a demandé maman, avec la voix d'un de nos surveillants, M. Mouchabière, quand nous le faisons enrager pendant la récré.

– Eh bien, je vois que nous sommes en plein drame, a dit papa qui venait d'entrer dans la maison. Puis-je savoir quelle en est la cause risible, cette fois-ci ?

– C'est la boîte de bonbons de ton ami Blédurt ! a crié maman. Monsieur Nicolas voudrait se nourrir exclusivement de bonbons. Monsieur Nicolas amène tous ses amis et relations dans la maison pour leur offrir des bonbons ! Et Monsieur Nicolas n'admet pas que je lui interdise de manger des bonbons avant le déjeuner !

– Mon ami Blédurt ? a dit papa. Il me semble que tu as fait des pieds et des mains pour que Blédurt redevienne mon ami. De toute façon, la question n'est pas là ; je ne crois pas que ça vaille la peine de se mettre dans tous ses états pour des bonbons. Nicolas, si maman dit que tu ne dois pas manger de bonbons, tu ne manges pas de bonbons, et voilà tout.

– Mais Alceste en a eu ! j'ai crié. C'est maman qui m'a dit de

174

lui en donner, des bonbons !

– Ce qu'il peut être têtu, ton fils, a dit maman à papa. Je sais de qui il tient ! En tout cas, pas de bonbons et à table.

– Je te remercie pour ta fine allusion, a dit papa, mais en attendant, j'aimerais que l'on cesse de parler de bonbons pendant un court instant et que l'on ait un peu de calme. Je suis pressé, j'ai un rendez-vous à deux heures au bureau et le déjeuner devrait être déjà prêt.

– Oh ! Je m'excuse pour mon retard, a dit maman en rigolant, mais pas contente ; ce sont les bonbons de ton fils qui m'ont empêchée de faire mon service.

– Si ça continue, je déjeunerai au restaurant ! Je ne reviendrai plus à la maison ! Là au moins, je n'entendrai plus parler de bonbons ! a crié papa. Et qu'il ne soit plus question de bonbons dans cette maison ! Assez parlé de bonbons. Fini les bonbons ! D'ailleurs, vous allez voir ce que j'en fais de ces bonbons.

Et papa a pris la boîte de bonbons, il est sorti dans le jardin et il s'est approché de la haie. M. Blédurt, qui était dans son jardin à lui en train de ramasser des feuilles, a levé la tête et il a fait un sourire à papa.

– Tiens ! a crié papa. Je te la rends, ta boîte !

Papa a jeté la boîte de bonbons dans le jardin de M. Blédurt.

Maintenant, à la maison tout va bien. Papa et moi nous avons demandé pardon à maman, et elle, elle nous fait souvent des frites. La seule chose, c'est que de nouveau, papa et M. Blédurt ne se disent plus bonjour.

Je me cire

M<small>ME</small> M<small>OUCHEBOUME A TÉLÉPHONÉ</small> à maman pour l'inviter à prendre le thé cet après-midi. Mme Moucheboume a demandé à maman de m'amener avec elle, parce que je suis très chou. Moi, ça ne m'amuse pas trop d'aller prendre le thé chez Mme Moucheboume, parce qu'elle n'a pas d'enfants ni de télé chez elle, mais maman m'a dit que puisque Mme Moucheboume veut que j'aille prendre le thé chez elle, j'irai prendre le thé chez elle, et un point c'est tout. Mme Moucheboume, c'est la femme de M. Moucheboume, qui est le patron de mon papa.

Alors, maman m'a mis le costume bleu marine et les chaussettes blanches, et elle m'a peigné. Quand je suis habillé comme ça,

j'ai l'air d'un vrai guignol. Et puis maman a regardé mes chaussures et elle a dit qu'elles ne brillaient pas assez, et qu'elle allait leur donner un coup de brosse, mais qu'il se faisait tard, et que d'abord elle allait commencer par s'habiller et se préparer. « Si tu es bien sage, m'a dit maman, ce soir, je ferai de la tarte aux pommes », et puis elle est partie. Moi, j'aime bien ma maman, et la tarte aux pommes, alors, j'ai décidé de ne pas faire de bêtises.

Et puis, je me suis dit que ce qui serait une bonne surprise pour maman, ce serait que je cire mes chaussures pendant qu'elle se prépare, comme ça, quand maman viendrait pour me donner un coup de brosse, elle verrait mes chaussures drôlement brillantes, et elle dirait : « Oh, mais mon Nicolas est un grand garçon, et il aide sa maman ! »... Et puis, elle m'embrasserait, et ce soir, pour le coup, de la tarte aux pommes je pourrai m'en réserver deux fois, trois peut-être. Ça sera chouette ! Je suis allé dans la cuisine, où se trouve la petite valise dans laquelle il y a les choses pour cirer les chaussures. J'ai fait comme papa, j'ai donné d'abord un coup de brosse à mes souliers

qui ont déjà commencé à briller, et puis j'ai pris la boîte de cirage noir, et j'ai cherché la petite brosse avec laquelle papa met le cirage sur ses chaussures. Mais comme je n'ai pas trouvé la petite brosse (maman dit que papa est très désordonné), j'ai mis le cirage avec les doigts, ça ne fait rien, parce qu'après je me laverai les mains. Le cirage s'étend drôlement bien comme ça, la seule chose, c'est qu'il rentre un peu sous les ongles. Après, j'ai pris la grande brosse et j'ai frotté, en sifflant, comme fait papa, mais c'est drôle, les chaussures brillaient moins qu'avant que je mette le cirage, alors, j'ai remis du cirage, une bonne couche, et puis au lieu de me servir de la brosse, j'ai pris un torchon que maman, de toute façon, allait sûrement mettre dans le panier à linge sale.

Les chaussures, elles brillaient pas trop, mais ça allait. Ce qui est embêtant, c'était les chaussettes. Je ne sais pas comment fait papa pour ne pas se salir les chaussettes quand il se cire, il faut dire qu'il ne met pas de chaussettes blanches ; les miennes, elles

étaient noires jusqu'à la moitié de la jambe, mais c'est forcé, les chaussettes, c'est pas comme les manches, on ne peut pas les retrousser. Alors, j'ai pris le gros morceau de savon qui est sur l'évier, je l'ai mouillé au robinet qui éclabousse, et j'ai frotté mes chaussettes. Ça ne les a pas très bien nettoyées et ça m'a fait froid aux jambes, mais avec encore un coup de cirage sur les chaussures, j'ai pu enlever le savon qui était tombé dessus.

Ce que j'aurais dû faire, c'est retrousser les manches de ma chemise, parce que les poignets étaient mouillés presque jusqu'aux coudes, et il y avait quelques taches de cirage. Sur le blanc, le noir ça se voit beaucoup, maman dit toujours que c'est très salissant, et elle a raison. C'est plus salissant que le bleu marine, en tout cas, parce qu'il fallait regarder mon veston de très près pour voir les taches de cirage qui étaient dessus. D'ailleurs, j'ai gratté le cirage du veston avec le couteau dont papa se sert pour découper le gigot, quand il y en a, et tout s'est très bien arrangé. J'ai enlevé mon veston et je l'ai mis sur le dossier d'une chaise, mais c'est la chaise qui ne tient pas, et bing ! tout est tombé par terre : le veston, la chaise et la valise avec les choses pour cirer les chaussures, que j'avais mise sur la chaise. Ce n'était pas bien grave, sauf pour la boîte de cirage, qui est tombée par terre du côté du cirage, comme le font les tartines d'Alceste, quand on le bouscule dans la cour de la récré, mais là, ce n'est pas du cirage, mais du beurre, ou même de la confiture souvent.

Alors j'ai décidé de nettoyer la tache qui était sur le carrelage de la cuisine, j'avais pas envie de me faire gronder par maman, et j'ai pris un autre torchon, que maman allait sûrement mettre aussi dans le panier du linge sale. Mais avec le torchon, ça, je dois dire, ça n'a pas trop bien marché, parce que le cirage s'est étendu, sans partir. Alors, j'ai fait comme maman, j'ai pris le balai, pas celui qui a des pailles longues au bout, l'autre, j'ai mouillé le torchon au robinet qui éclabousse, et que j'avais bien

fait de ne pas fermer, et j'ai mis le torchon au bout du balai. Et
puis, j'ai commencé à frotter, mais, c'est drôle, le cirage ça l'a
mouillé mais ça ne l'a pas enlevé.

Alors, j'ai pris le gros morceau de savon, j'ai gratté le noir qui
était dessus, avec le couteau à découper le gigot, et puis je me
suis mis à genoux par terre, et avec les deux mains, j'ai frotté le
savon sur le cirage. L'ennui, c'est que ça n'a pas beaucoup net-
toyé le cirage, mais que ça a drôlement sali le savon. Mais ce

n'était pas grave, pas plus que la cravate, parce que c'était seulement le bout qui a traîné par terre, et quand je ferme le bouton
du haut de mon veston, le bout de la cravate, on ne le voit pas.
Non, ce qui était embêtant, c'était le pantalon à cause des genoux
qui étaient pleins de cirage mouillé, et c'est drôle, mais même

sur du bleu marine ça se voyait. J'aurais dû retrousser mon pantalon, parce que même sans le retrousser, mes genoux se sont salis. Je me suis dit que ce que j'avais de mieux à faire, c'était d'aller me changer, je rangerais la cuisine après. En me levant pour aller dans ma chambre, je me suis vu dans la petite glace de la cuisine, et alors là, j'ai rigolé. J'avais la figure pleine de cirage, surtout sur le nez. J'avais l'air d'un clown et je me suis amusé à faire des grimaces, et puis j'ai entendu un grand cri.

C'était maman qui était à la porte de la cuisine. Elle était pas contente, maman. Elle m'a pris par le bras, et elle m'a dit que je serais privé de dessert, et qu'on verrait ce que papa aurait à dire quand on lui raconterait ce qui s'est passé.

Et moi, je me suis mis à pleurer, parce que d'accord, j'avais fait quelques bêtises, mais ce qui n'est pas juste, mais pas juste du tout, c'est vrai quoi, à la fin, c'est que maman ne s'est même pas aperçue que j'avais ciré mes chaussures. Et tout seul, encore !

On a visité le chocolat

ON ATTENDAIT TOUS JEUDI avec une drôle d'impatience, depuis que la maîtresse nous avait dit que la classe était invitée à visiter une fabrique de chocolat.

– Je compte sur vous, nous a dit la maîtresse, pour être proprement habillés... Si vous voulez, je peux attendre que vous ayez fini de parler, Nicolas... Bon. Vous serez très sages et très attentifs pendant cette visite, parce qu'après je vous demanderai de la raconter dans une rédaction. Rendez-vous à l'école à deux heures ; soyez exacts, nous n'attendrons pas les retardataires.

Jeudi, je suis arrivé à l'école à une heure et demie, et tous les copains étaient déjà là. Alceste mangeait une pomme, parce qu'il n'avait pas eu le temps de reprendre du dessert chez lui, et il avait un paquet avec son goûter. Celui qui nous a fait rigoler, c'est Agnan, qui avait amené son cartable.

– J'ai apporté un cahier pour prendre des notes pendant la visite, il nous a expliqué. C'est pour la rédaction.

Il est fou, Agnan !

Et puis la maîtresse est arrivée, chouette comme tout, et drôlement bien habillée ; elle avait un sac au lieu du cartable qu'elle a d'habitude, et elle avait mis un chapeau sur ses cheveux.

– Voyons, elle a dit. Oui, ce n'est pas mal. J'aperçois quelques tignasses, là, qui supporteraient bien un coup de peigne, mais enfin dans l'ensemble, vous êtes propres... Alceste ! Essuyez-vous le menton et jetez ce trognon de pomme. Bien. Le car vient d'arriver, alors en route ! Et je vous préviens : le premier qui se dissipe dans le car, je le fais descendre et il ne fera pas la visite avec nous !

Nous sommes montés dans le car, drôlement contents, et personne n'a fait le guignol. Le chauffeur, chaque fois qu'il s'arrêtait à un feu rouge, il se retournait pour regarder et il avait l'air étonné.

Nous sommes arrivés devant la fabrique, qui est très, très grande ; la maîtresse nous a fait descendre du car, elle a dit à Alceste de brosser les miettes de croissant qu'il avait sur son pull-over, on s'est mis en rang et nous sommes entrés. Une dame très gentille et qui nous regardait en rigolant nous attendait, et elle nous a fait passer dans un bureau terrible où il y avait un monsieur tout chauve, qui s'est levé pour donner la main à la maîtresse. Et puis il nous a regardés, il a fait un très gros sourire et il nous a dit :

– Mes enfants, les Chocolats Grouillot, dont je suis le directeur, vous souhaitent la bienvenue. Je pense que vous aimez tous le chocolat ?... Hé, hé... Levez la main, ceux qui aiment le chocolat !

On a tous levé la main, sauf Agnan.

– Eh bien ! Agnan, a dit la maîtresse.

– Le chocolat, ça me rend malade, a expliqué Agnan. Depuis que j'étais petit, le docteur m'a dit que je ne devais pas en manger, parce que...

– Bon, bon, bon, a dit le directeur de la fabrique. Je vois donc que vous aimez tous le chocolat ; alors, après votre visite, nous allons vous préparer une petite surprise.

Un autre monsieur, avec un tablier blanc, était entré dans le bureau, et le directeur nous a dit qu'il s'appelait M. Romarin et que c'était lui qui allait nous montrer la fabrique. Nous sommes

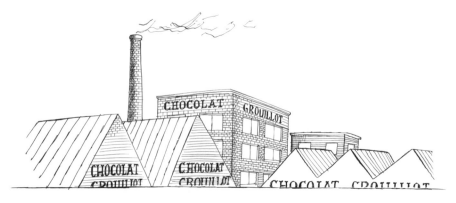

CHOCOLAT GROUILLO

sortis dans la cour, où il y avait des tas de camions et nous sommes allés vers une grande porte. Avant d'entrer, M. Romarin nous a demandé :

– Est-ce que l'un de vous a une idée de comment on fait le chocolat ?

– Le chocolat est fait à base de cacao et de sucre, a dit Agnan. Le cacao, c'est de la graine du cacaoyer, qui est un arbre originaire du Mexique. Il est cultivé en Amérique équatoriale, en Afrique et en Asie. Il...

– Ça va... Entrons, a dit M. Romarin.

Nous sommes entrés dans la fabrique, et c'était chouette comme tout ; ça sentait bon comme vous ne pouvez pas imaginer. La maîtresse a mis un petit mouchoir devant son nez et M. Romarin lui a dit :

– Bien sûr, l'arôme semble un peu fort au début, quand on n'est pas habitué.

M. Romarin nous a conduits dans une grande salle où il y avait des espèces de grandes soupières pleines de chocolat qu'on était en train de mélanger. M. Romarin a commencé à expliquer le coup des soupières, quand Geoffroy m'a tiré par la manche.

– Viens voir à côté, il m'a dit, c'est rien chouette !

Nous sommes allés voir et c'était terrible ! Sur des rubans, qui marchaient tout seuls, il y avait plein, plein de tablettes en chocolat. Autour des rubans, il y avait des dames avec des tabliers blancs qui nous regardaient en rigolant, et une des dames nous a dit :

– J'ai l'impression, mes lapins, que vous aimeriez bien goûter à nos tablettes.

Nous, on n'a rien osé dire, alors la dame nous a donné une grosse tablette à chacun.

– Nicolas ! Geoffroy ! Voulez-vous venir ici, tout de suite ! En voilà des manières !

C'était la maîtresse, qui nous avait vus, et qui nous appelait.

Alors, nous sommes partis en courant, avec nos tablettes.

– Nous allons passer à l'opération suivante, a dit M. Romarin. Je vous demanderai de ne pas trop vous approcher des machines, ça peut être dangereux.

– Vous les avez trouvées où, les tablettes ? nous a demandé Alceste.

– Par la porte, là-bas, je lui ai dit. Tu y vas et on t'en donne des tas.

Et Alceste est parti, avec Eudes et Rufus. Nous, on suivait M. Romarin et la maîtresse, en mangeant nos tablettes. M. Romarin montrait des machines et chaque fois qu'il se retournait, il se cognait contre Agnan, qui était juste derrière lui, en train d'écrire sur son cahier.

– Mais il en manque ! a crié la maîtresse.

– Pardon ? a demandé M. Romarin.

– Où sont vos camarades ? a demandé la maîtresse, qui n'était pas contente.

Mais heureusement, Alceste, Rufus et Eudes sont arrivés en courant, avec leurs tablettes.

– Je vous interdis de vous écarter ! a crié la maîtresse. Et regardez-moi dans quel état vous vous êtes mis ! Vous avez la figure pleine de chocolat. Votre chemise, Rufus ! Vous n'avez pas honte ?

Rufus a essuyé le devant de sa chemise avec sa manche et la maîtresse nous a dit que si nous étions indisciplinés elle nous ferait remonter dans le car. M. Romarin, qui avait continué à marcher avec Agnan, s'est retourné, il est venu vers nous en courant.

– Ecoutez, il a dit. Je crois que nous ne devrions pas trop nous attarder.

– Bien sûr, a dit la maîtresse, toute rouge. Veuillez les excuser, ils sont un peu… Joachim ! Sortez la main de cette cuve ! Ah ! Bravo ! Vous n'avez plus qu'à l'essuyer maintenant !

– Je n'ai pas de mouchoir, a dit Joachim.

Et il s'est mis à pleurer. Alors, la maîtresse a donné son petit mouchoir à Joachim, qui s'est essuyé sa main pleine de chocolat, qui s'est mouché, qui s'est frotté les yeux et qui a voulu rendre le mouchoir à la maîtresse. Mais, la maîtresse lui a dit qu'il pouvait le garder. Elle est chouette, la maîtresse !

Joachim a mis le mouchoir dans la poche de son veston. Il était rigolo, Joachim, avec du chocolat partout sur la figure.

– Bon, on peut continuer ? a demandé M. Romarin.

On a recommencé à marcher, et Clotaire a demandé à Joachim si c'était bon ce qu'il y avait dans la cuve.

– Ben non, a dit Joachim. J'ai goûté, mais ce n'est pas sucré, tu n'as qu'à essayer.

Clotaire y est allé, et quand il est revenu, il a dit que c'était vrai, que ce n'était pas bon du tout, et il a demandé à Joachim de lui prêter son mouchoir.

– Silence ! a crié M. Romarin.

M. Romarin nous a dit qu'on allait voir la dernière salle, celle de l'emballage des produits terminés, et que ça nous plairait bien, parce qu'on pourrait goûter à tout.

Nous sommes entrés dans la salle et la maîtresse a crié :

– Maixent ! Qu'est-ce que vous faites ici ?

Maixent, il a été tellement surpris qu'il a laissé tomber un bonbon qu'il avait à la main. Mais la maîtresse n'a pas eu le temps de lui dire tout ce qu'elle avait envie de lui dire, parce que M. Romarin avait l'air drôlement pressé.

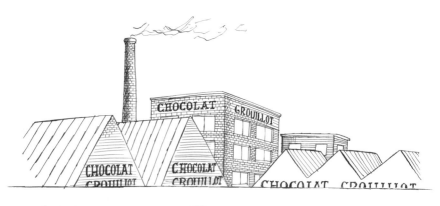

– Là, vous avez les bonbons fourrés à la crème, à la liqueur, et aux fruits ; là derrière... Oh ! Pardon !... Ah ! C'est encore toi ! Mais tu es toujours dans mes jambes !... Là, ce sont des tablettes... Enfin, vous pouvez goûter.

C'était vraiment terrible, on a mangé des tas de choses formidables ; c'était sucré, ça fondait, c'était bon, et quand je serai grand je travaillerai dans une fabrique de chocolat.

– La visite est terminée, a dit M. Romarin. Nous retournons chez M. le directeur, qui vous attend pour vous offrir une surprise.

Avant d'entrer dans le bureau du directeur, la maîtresse nous a dit de nous essuyer la figure, et Joachim nous a prêté son mouchoir. Et quand le directeur nous a vus, il a ouvert de grands yeux tout ronds.

– Hmm ! il a dit. Je vois que vous avez bien profité de votre visite. Eh bien ! Mes enfants, pour que vous gardiez un bon souvenir de votre passage chez nous, les Chocolats Grouillot vous offrent une petite surprise.

Et le directeur nous a donné à chacun un paquet plein de chocolat, et Clotaire s'est mis à pleurer.

– Je suis malade, il a dit.

Et la maîtresse a eu juste le temps de sortir avec lui.

Dans le car, nous parlions de notre visite, en mangeant le chocolat des paquets, et la maîtresse ne disait rien, parce qu'elle était occupée à regarder par la fenêtre.

A la maison, je n'ai pas dîné, et j'ai été malade, moi aussi. En tout cas, elle était drôlement chouette, la visite de la fabrique de chocolat. Le seul qui a été déçu, ça a été Agnan. Parce qu'on ne fera pas la rédaction racontant notre visite à la fabrique de chocolat ; la maîtresse a dit qu'elle ne voulait plus jamais en entendre parler.

Le bassin

Nous, ON AIME MIEUX aller jouer dans le terrain vague que dans le square du quartier ; dans le square, c'est défendu de marcher sur l'herbe, et dans le terrain vague il n'y a pas d'herbe, mais s'il y en avait, ce ne serait pas défendu de marcher dessus. Mais ce qu'il y a au square, qu'il n'y a pas au terrain vague, c'est un chouette bassin avec des poissons et des canards, et on peut jouer avec des bateaux. Et c'est pour ça qu'on a tous été d'accord et qu'on a tous crié « Hip hip hourrah ! » quand Eudes nous a dit :

– Les gars, si on faisait un bassin dans le terrain vague ?

Et on s'est tous donné rendez-vous pour jeudi après déjeuner dans le terrain vague. Eudes a dit que ceux qui avaient des pelles devaient les amener.

Mais, après déjeuner, jeudi, quand j'ai dit à maman que j'allais au terrain vague, elle n'a pas été contente du tout.

– Tu sais, Nicolas, elle m'a dit, que je n'aime pas que tu ailles dans cet horrible terrain vague. Tu reviens dans un état de saleté incroyable ! Non, je préfère que tu viennes faire des courses avec moi.

– Mais, j'ai dit, les copains m'attendent dans le terrain vague.

– J'ai dit non, Nicolas ! a crié maman.

Alors ça, c'était pas juste, et je me suis mis à pleurer, et j'ai crié que le terrain vague n'était pas horrible et que je ne voulais pas aller faire des courses, et que puisqu'on me défendait d'aller avec les copains, je ne retournerais plus jamais à l'école. C'est vrai, quoi, à la fin, sans blague !

– Tu veux une fessée, Nicolas ? m'a dit maman. Comme si tu étais encore un bébé ?

Alors, j'ai pleuré plus fort et papa est arrivé du salon, où il buvait son café.

– Quelle est la raison du drame, cette fois-ci ? a demandé papa.

– Maman ne veut pas que j'aille jouer avec les copains dans le terrain vague ! j'ai crié, alors moi je ne retournerai plus à l'école !

– Hé ! Hé ! a rigolé papa, quand j'avais ton âge, j'aimais bien jouer dans les terrains vagues, moi aussi…

– Bravo ! a dit maman. Bravo ! Donne-lui raison contre moi !

– Mais jamais de la vie, a dit papa. Si tu ne veux pas qu'il aille jouer dans son terrain vague, pour des raisons qui m'échappent d'ailleurs, il n'ira pas. Je me bornais à dire que je comprenais l'attrait qu'un terrain vague représente pour un enfant.

– Oh ! a dit maman, puisque tu comprends les enfants mieux que moi, je n'ai plus rien à ajouter. Je vous demande pardon de m'être opposée aux quatre volontés de Monsieur Nicolas ! Que Monsieur Nicolas aille donc rejoindre ses amis et relations dans le terrain vague.

Et maman est partie dans la cuisine. Moi, j'étais bien embêté, parce que quand maman est si polie avec moi, c'est qu'elle est fâchée.

– Alors, je peux y aller ? j'ai demandé à papa.

– Heuh !… Oui, m'a dit papa. Mais ne reviens pas trop tard et ne fais pas de bêtises. Maintenant, dépêche-toi. Moi, j'ai quelque chose à dire à ta maman.

Quand je suis arrivé dans le terrain vague, avec ma pelle (celle qu'on m'a achetée pour les vacances), tous les copains avaient des pelles comme la mienne, sauf Alceste, qui avait un sandwich, et Geoffroy, qui avait amené son bateau pour le mettre dans l'eau dès qu'on aurait fini le bassin.

– Bon, a dit Eudes, on va le faire au milieu du terrain, le bassin. Ce sera plus joli.

– On va le faire grand comment ? a demandé Rufus.

– Ben, le plus grand possible, tiens ! a dit Joachim. Des boîtes de conserve, ici, jusqu'à l'auto, là-bas, et du matelas jusqu'aux caisses.

– Et pour l'eau, comment on va faire ? a demandé Maixent. Parce qu'un bassin sans eau, ça ne sert à rien. Ce n'est qu'un trou.

– L'eau, a dit Eudes, on en amènera chacun de chez soi. Quand le bassin sera creusé, on viendra avec des seaux, des bouteilles et des carafes, et on le remplira.

– Et puis, on pourra prendre l'eau dans le bassin du square, a dit Geoffroy.

– Tu rigoles, a dit Clotaire. Le gardien ne voudra pas.

– Et pourquoi, je vous en prie ? a demandé Geoffroy. Il y a des tas de choses qui sont défendues au square, mais j'ai jamais vu qu'il soit défendu de prendre de l'eau. L'eau, c'est comme l'air, c'est à tout le monde.

– Voilà, il a dit, Eudes. Ça, c'est le bassin. Il n'y a qu'à creuser dans le rond, sans dépasser.

– Hé ! a crié Rufus, ce qui serait chouette, c'est quand on amènera aussi des poissons et des têtards !

– Oh ! Oui, a crié Maixent. Comme ça, on pourrait pêcher tranquillement sans que le gardien nous fasse des histoires ! Et nos parents seront drôlement contents quand nous leur amènerons des poissons pour dîner !

– Oui, a dit Joachim, mais pour les pêcher tranquillement ici, il faudra d'abord les pêcher dans le square.

Rufus a dit qu'on s'arrangerait et Eudes a dit qu'on commence

à creuser, parce que ça allait être long et que si on continuait comme ça, on ne finirait sûrement pas le bassin aujourd'hui.

– Hé, les gars, a dit Clotaire, ce qui serait chouette aussi, ce serait d'amener des canards du square !

– Ça, c'est vrai ! a dit Alceste. J'aime bien les canards ! Je les aime encore mieux que les poissons !

– Et si au lieu de faire un bassin, j'ai dit, on ferait une piscine ? Là, ils m'ont tous regardé, drôlement étonnés.

– Ben oui, j'ai dit, ce serait pas chouette, ça ? On pourrait se baigner, faire des championnats, rigoler !

Eudes s'est gratté la figure avec sa pelle et il m'a dit :

– Oui, c'est une bonne idée, mais, après tout, on pourra se baigner dans le bassin, si on veut.

– Ah ! Non, j'ai répondu, c'est pas la même chose. D'abord, une

piscine c'est carré, et pas rond. Tu peux pas faire des championnats dans une piscine ronde.

– Moi, j'aime mieux un bassin, a dit Alceste.

Alceste, il n'aime pas se baigner. Il m'a dit une fois qu'il avait
peur de se baigner parce qu'on lui avait dit que si on se baignait
moins de trois heures après avoir mangé, on se noyait. Et Alceste
ne reste jamais trois heures sans manger, sauf la nuit, bien sûr ;
mais la nuit, Alceste n'a pas envie de se lever pour aller se baigner.

– Avec une piscine, j'ai dit, on a un plongeoir, et puis il y a le
petit bain pour ceux qui ne savent pas nager, comme Rufus, et...

– Qui a dit que je ne savais pas nager ? a demandé Rufus, qui
est devenu tout rouge.

– Bon, a dit Eudes. Ceux qui sont pour la piscine, qu'ils lèvent
le doigt.

On a tous levé le doigt, sauf Rufus et Alceste. Rufus était fâché
comme tout et il a dit qu'il était venu pour faire un bassin et pas
une piscine, et que s'il avait su, il ne se serait pas disputé avec sa
mère pour venir dans le terrain vague.

– Dites, on commence à creuser, oui ou non ? a demandé
Eudes.

– Rufus a raison ! a crié Alceste. On est venus ici pour faire des
bassins pleins de canards et de poissons et pas pour faire des piscines idiotes. Je n'aime pas me baigner dans les piscines, alors tu ne
crois tout de même pas que je vais aider à en creuser une, non ?

– T'as même pas de pelle, alors ! j'ai dit.

– C'est pas une raison ! a crié Alceste. Et puis d'abord, il y aura
des canards, dans ta sale piscine, au moins ?

– Et où est-ce que tu as vu des canards dans une piscine, imbécile ? j'ai crié.

– Si j'ai envie de mettre des canards dans ta piscine, j'en met-
trai ! a crié Alceste. Je n'ai pas à demander ta permission, tout de
même, sans blague !

– Essaye seulement ! je lui ai dit.

Et on s'est battus et puis je suis parti fâché et je ne parlerai plus jamais de ma vie à Alceste.

Quand je suis arrivé à la maison, maman a crié :

– Regarde un peu dans quel état tu t'es mis ! Tu es noir de la tête aux pieds ! Je parie que tu t'es battu !… Tiens, voilà ton père qui arrive ! Ça tombe bien ! Puisqu'il te comprend mieux que moi, tu n'as qu'à lui expliquer comment tu as fait pour te mettre dans cet état !

– Eh bien, jeune homme, m'a demandé papa, que s'est-il passé dans ce fameux terrain vague ?

– C'est Alceste, j'ai expliqué. Il voulait mettre des canards dans la piscine.

Et comme papa ne disait plus rien, je suis monté ranger ma pelle et me laver les mains.

Le puzzle

QUAND JE SUIS REVENU DE L'ÉCOLE, cet après-midi, maman m'attendait avec un gros sourire sur la bouche.

– Le facteur t'a apporté une surprise de la part de mémé, elle m'a dit.

Alors moi, j'ai été très content, parce que mémé, qui est la maman de ma maman, m'envoie de chouettes cadeaux. Là, c'était une grosse boîte, et j'étais impatient comme tout, et je me demandais si ça allait être un nouveau wagon pour mon train électrique, ou une petite auto bleue qui se conduit de loin, ou un avion qui vole tout seul, et finalement j'ai réussi à enlever la ficelle et le papier, et c'était une boîte sur laquelle il y avait une peinture d'un bonhomme de neige, sur un champ tout blanc, et c'était écrit « Puzzle géant, 800 pièces ». A l'intérieur de la boîte, il y avait des tas de tout petits bouts de bois découpés. Moi j'ai déjà eu des puzzles quand j'étais petit, on m'en a donné un pour l'anniversaire de l'année d'avant, mais je n'en avais jamais vu avec autant de pièces ; ça avait l'air drôlement compliqué, et je me demande si je n'aurais pas préféré un nouveau wagon pour mon train électrique, une petite auto bleue qui se conduit de loin ou un avion qui vole tout seul.

Et puis papa est arrivé de son bureau.

– Maman a envoyé un cadeau au petit, lui a dit maman.

– Allons bon ! a dit papa en enlevant son pardessus. Et qu'est-ce que c'est, cette fois-ci ? Une batterie de jazz ? Une boîte de chimie pour faire des petites bombes atomiques ? Ou tout simplement quelques bâtons de dynamite ?

– Oh ! Je m'attendais à ce persiflage, a dit maman. Tout ce que fait ma famille est mal fait. Mais quand ton frère Eugène...

– Laisse Eugène en dehors de ceci, a dit papa. Tu sais bien que ta mère a le talent d'envoyer au petit des cadeaux qui sèment la perturbation dans la maison.

– Pas cette fois-ci, en tout cas, a dit maman.

– C'est un puzzle, j'ai expliqué.

Papa s'est retourné, il m'a regardé, il a regardé la boîte, et puis il l'a prise entre les mains.

– Un puzzle ? a dit papa. Tiens, tiens ! J'aimais bien les puzzles, moi, quand j'étais gosse ! Et puis j'étais très fort... Ah ! Dis donc ! Huit cents pièces ! Et ça n'a pas l'air facile, avec tout ce blanc, là... Tiens, Nicolas, si tu veux, on va le faire tout de suite !

– Oh ! Oui. Chic ! j'ai crié. On va le faire sur le tapis du salon !

– Non, a dit papa. Avec le tapis, les pièces vont bouger, et puis ça va être fatigant d'être tout le temps baissé. Non, viens, on va le faire sur la table de la salle à manger.

– Mais, a dit maman, j'ai besoin de la table ! Nous allons dîner bientôt !

– Bah ! a dit papa. Nous ne dînerons pas avant une heure. Et dans une heure, avec deux champions comme nous, le puzzle sera fait ; pas vrai, bonhomme ?

Moi j'ai dit que oui, et j'étais drôlement content, parce que j'aime bien jouer avec papa. Alors, nous avons amené le puzzle dans la salle à manger, et après avoir enlevé la nappe, nous avons renversé toutes les pièces sur la table. Papa, qui s'y connaît drôlement, m'a dit qu'il fallait d'abord mettre les pièces avec le côté du dessin vers le haut, pour les reconnaître, et après, chercher

celles qui ont un bord droit, parce que ce sont celles qui font le cadre. Ça, ça a déjà pris pas mal de temps ; et puis après, papa a commencé à assembler les pièces. Il en a pris deux qui collaient très bien ensemble, et il m'a dit :

– Tu as vu ? C'est facile ; il suffit d'un peu de patience et d'observation.

Papa y arrivait assez bien, mais moi j'avais beaucoup de mal, et j'avais beau forcer avec les doigts, les pièces ne voulaient pas entrer les unes dans les autres.

– Non, Nicolas, non ! a dit papa, il ne faut pas utiliser la force, quand ce n'est pas la bonne pièce, ce n'est pas la bonne pièce ! Et puis, il faut se référer au modèle qui est sur le couvercle de la boîte... Là, tu vois, où c'est marron, eh bien, c'est sûrement la petite branche du bas... Eh oui !...

Très vite on a eu tout le cadre de fait. Il est terrible papa.

– Je peux mettre la table ? a demandé maman.

– Bientôt, a répondu papa. On a presque fini.

Mais après le cadre, ça a été plus difficile de trouver les pièces. Nous sommes tout de même arrivés à faire l'arbre de gauche, et papa m'a laissé mettre deux pièces, bing, bing !

– Le rôti est prêt, a dit maman. Vous allez me faire le plaisir d'enlever ce jeu de la table, que je puisse mettre le couvert.

– Ecoute, a dit papa. Tu vois bien que si on enlève le puzzle, il faudra le défaire ! Au point où nous en sommes, ce serait dommage. Attends un peu, puisque je te dis que c'est presque fini.

Mais là, on n'a pas avancé très vite, et papa, il a fait comme moi, il a essayé d'appuyer pour que les pièces entrent bien, mais il n'y a rien à faire ; quand ce n'est pas la bonne pièce, ce n'est pas la bonne pièce !

– J'ai mis le couvert à la cuisine, a dit maman. Si vous voulez que le rôti soit mangeable, venez maintenant !

– D'accord, a dit papa. Mais attends un peu... Si on trouvait la

tête du bonhomme de neige, on pourrait finir tout ce morceau…

– C'est pas ça ? j'ai demandé à papa en lui donnant une pièce.

– Mais oui, c'est ça ! Bravo, Nicolas ! Tu deviens très bon !

Moi j'étais très fier, mais maman m'a regardé longtemps, et elle est retournée dans la cuisine sans me féliciter. Et puis, comme on n'arrivait pas à trouver le reste du bonhomme de neige, après avoir cherché longtemps, papa a dit qu'on allait dîner, et qu'on continuerait après.

– Nous arrivons, chérie ! a crié papa.

– Oh ! Ne vous dépêchez pas ; de toute façon, le rôti est brûlé, a répondu maman de la cuisine, en rigolant, comme elle fait quand elle n'est pas contente.

Moi j'aime bien manger dans la cuisine, même s'il n'y a pas beaucoup de place ; mais c'est vrai que le rôti était brûlé. On a mangé le dessert en vitesse, et nous sommes retournés dans la salle à manger.

Il devenait drôlement difficile, le puzzle, mais il avançait ; on avait presque tout le bonhomme de neige, et une partie du ciel, qui était tout blanc. Maman avait fini de laver la vaisselle, et elle lisait dans le salon. Et puis, elle est venue, et elle m'a dit :

– Allons, Nicolas ! Il est l'heure de faire dodo !

– Oh ! Ben non, j'ai dit. On n'a pas fini le puzzle.

– Nicolas ! Quand je dis quelque chose, je veux que tu m'obéisses ! Tant pis pour le puzzle ! Demain il y a école !

Alors moi, je me suis mis à pleurer, j'ai dit que ce n'était pas juste, qu'on m'envoyait des cadeaux et qu'après on ne me laissait pas jouer avec eux, que j'écrirais à mémé pour me plaindre, que j'étais très malheureux et que je partirais de la maison avec mon puzzle et qu'on nous regretterait bien.

– Bah ! a dit papa, laisse-le encore quelques minutes. Après tout, nous avons presque fini.

– Parfait, a dit maman. Parfait ! Mais demain, quand il faudra le faire sortir du lit, tu t'en occuperas.

Et nous avons continué à jouer, mais ça n'avançait pas vite, et je commençais à être fatigué, et j'ai mis le bras sur la table, avec la tête dessus, et je regardais le puzzle en fermant un œil.

– Allons, Nicolas, a dit maman, tu ne tiens plus debout.

– Mais le puzzle n'est pas fini, j'ai dit.

– Demain matin quand tu te lèveras, il sera fini, a dit maman. Papa va y travailler quand tu seras couché. Viens, mon poussin.

– C'est ça, c'est ça, a dit papa. Si on cesse de me déranger, je le finirai.

Maman m'a pris dans ses bras, je ne voulais pas y aller, et puis je me suis endormi avant qu'elle éteigne la lumière de ma chambre.

Quand je me suis levé, ce matin, le puzzle était toujours sur la table de la salle à manger ; il avait un peu avancé, mais il en manquait encore beaucoup pour qu'il soit terminé. Nous avons pris le petit déjeuner dans le salon, et nous avons déjeuné dans la cuisine.

Mais nous finirons le puzzle sûrement avant ce soir. Papa a dit qu'il allait revenir plus tôt du bureau, et qu'on allait y travailler sérieusement tous les trois.

Parce qu'il y a des invités ce soir, et maman a absolument besoin de la table pour le dîner.

# Le tas de sable

Quand nous sommes descendus pour la récré, nous avons vu dans un coin de la cour de l'école un gros tas de sable.

– C'est quoi, ce tas de sable, hein, dites, M'sieur, hein ? a demandé Geoffroy au Bouillon, qui est notre surveillant, mais ce n'est pas son vrai nom et un jour je vous raconterai pourquoi on l'appelle comme ça.

– Ce sont des ouvriers qui viennent d'amener ce tas de sable, a répondu le Bouillon. C'est pour les travaux qu'ils vont commencer dans la buanderie.

– On peut y aller jouer, sur le tas de sable, M'sieur ? On peut ? a demandé Rufus.

Le Bouillon a réfléchi, il s'est gratté le nez, et il a dit :

– Bon, mais soyez sages. Et n'oubliez pas que je suis responsable de ce tas de sable.

On a été très contents et nous sommes allés en courant vers le tas de sable. Même Agnan est venu avec nous : Agnan, c'est le premier de la classe et le chouchou de la maîtresse, et, en général, à la récré, il ne joue pas avec nous, il repasse ses leçons.

– On va faire un château, a dit Joachim, je suis terrible pour les châteaux. Pendant les vacances, à la plage, il y a eu un concours et j'aurais pu avoir le prix, si j'avais voulu. Parfaitement.

– Tu nous embêtes avec tes châteaux, a dit Maixent, ce qui est amusant, c'est de faire des trous. On va faire un gros, gros trou, comme celui dans lequel papa est tombé l'été dernier.

– Non, a dit Eudes, on va faire un chemin, avec des tunnels, et on jouera avec des petites autos. C'est ça qui est rigolo.

– Et si on faisait des pâtés ? j'ai demandé.

– Et avec quoi tu vas les faire, tes pâtés, imbécile ? m'a demandé Eudes.

Et moi j'ai reculé très vite, parce que Eudes est très fort et il aime bien donner des coups de poing sur le nez des copains, et moi je suis un peu copain de Eudes. Mais en reculant, j'ai cogné sur Alceste, et quand on cogne sur Alceste, il y a toujours quelque chose à manger qui tombe, et là, ça n'a pas raté : sa tartine est tombée sur le sable du côté du beurre.

– C'est gagné, a crié Alceste, bravo !

Et il m'a poussé, parce qu'avec les tartines d'Alceste, il ne faut pas rigoler, surtout les beurrées.

– Dites les gars, a dit Geoffroy, si on commence à se disputer et à faire les guignols, le Bouillon va nous empêcher de jouer sur le tas de sable. Et puis après tout, le tas de sable est assez grand pour tout le monde !

Il avait raison, Geoffroy, alors Alceste est parti sur un coin du tas de sable, où il s'est mis à bouder et à essuyer avec sa manche le beurre de sa tartine.

Maixent et Geoffroy ont commencé à faire un trou, en creusant vite, vite, avec leurs mains, pendant que Joachim et Rufus se sont mis à leur château.

– On va faire un mur tout autour, avec une tour à chaque coin, et une maison à l'intérieur pour les gens qui habitent dans le château, tu sais ? expliquait Joachim à Rufus.

Clotaire et Eudes travaillaient à leur route avec des tunnels, moi, j'essayais de faire des pâtés avec ma chaussure droite, ça ne marchait pas très bien, et Agnan, il nous regardait. C'était très chouette.

– Eh ! a crié Joachim, cessez de jeter le sable de votre sale trou sur mon château !

– Ouais, a dit Rufus, faites un trou si vous voulez, mais laissez le sable dedans !

– Château ? Quel château ? a demandé Geoffroy, vous appelez ça un château ? Vous me faites rigoler, on dirait un plat de purée.

– Mon château est plus beau que votre trou, a répondu Rufus.

– Depuis quand c'est ton château ? lui a demandé Joachim. C'est moi qui ai eu l'idée de le faire, le château, c'est moi qui aurais eu le prix à la plage, si j'avais voulu. Toi, t'es là pour m'aider, c'est tout.

Alors, Rufus a donné un grand coup de pied dans le château.

– Voilà ce que j'en fais de ton plat de purée ! il a dit, et Geoffroy s'est mis à rire, alors Joachim, il a été très fâché et il s'est mis à pousser du sable dans le trou qu'avaient creusé Maixent et

Geoffroy, et Agnan s'est mis à crier : « Arrêtez ! Arrêtez ! Mes lunettes sont tombées dans le trou ! » Mais personne ne faisait attention à lui.

Geoffroy a commencé à donner des claques à Joachim qui lui donnait des coups de pied, pendant que Maixent se remettait à creuser le trou, aidé par Agnan qui voulait retrouver ses lunettes, et que Rufus remuait beaucoup de sable en disant :

– Je vais faire un chouette château, tout plein de tours partout, vous allez voir !

– Sors ton château de là ! a dit Eudes. Tu vois pas qu'il est sur ma route ?

– Je m'en fiche, de ta route, a dit Rufus.

Alors Eudes a pris plein de sable dans ses mains, et il a tout jeté à la figure de Rufus.

– Nicolas ! a crié Clotaire, avec tes pâtés, tu viens de faire écrouler mon tunnel. Tu veux une baffe ?

Et moi j'ai donné un grand coup sur la tête de Clotaire avec ma chaussure droite, mais il n'y avait pas mon pied dedans, bien sûr. Et puis, les grands sont venus. C'est toujours la même chose ; chaque fois qu'on s'amuse bien tranquillement entre nous, les grands viennent pour nous embêter.

– Eh, les mômes, a dit un des grands, qu'est-ce que vous faites là ?

– Mais c'est un tas de sable ! a dit un autre grand.

– Sensass, a dit un gros, on va rigoler, si on prenait du sable pour l'emmener en classe et faire une blague à Bibi ?

Bibi, c'est M. de Préfleury, leur professeur de géographie.

– Ouais, a dit un autre, ça c'est une bonne idée, Bob ! Allez les mômes, tirez-vous de là.

– Pas du tout, a dit Eudes, on était là avant vous. Le tas de sable, il est à nous, c'est le Bouillon qui nous l'a donné. Si vous voulez un tas de sable, allez vous en chercher un autre.

– Tu veux une fessée, microbe ? a demandé le grand, et Eudes lui a donné un grand coup de pied dans la jambe, et le grand a pris sa jambe avec ses deux mains et il s'est mis à sauter en pleurant.

– Pas sur mon château, pas sur mon château ! a crié Joachim qui s'était remis au travail et c'est vrai que ça ressemblait à un plat de purée.

Moi, je crois qu'il n'aurait pas pu avoir le prix à la plage. Même s'il avait voulu.

– Allez, les gars, on les vire ! a crié un des grands.

Et là, ça a été terrible, parce que tout le monde a commencé à se battre en se jetant du sable à la figure.

– Ne me touchez pas, ne me touchez pas ! criait Agnan. Je cherche mes lunettes et je m'en vais.

Mais je crois que le plus furieux de tous, c'était Alceste, parce que la tartine qu'il avait terminé de nettoyer était retombée sur le sable, toujours du côté du beurre. Je ne l'ai jamais vu comme ça, Alceste : il était rouge et il mordait la jambe d'un grand qui était en train de gifler Clotaire, qui lui envoyait du sable dans les yeux, pendant qu'un autre grand jetait ma chaussure droite loin du tas de sable.

On rigolait drôlement, quand le Bouillon est arrivé en courant.

– Qu'est-ce que ça veut dire ? il a crié. Arrêtez immédiatement ! Tout le monde en rang ! Sortez du tas de sable ! Vous n'avez pas honte ? Je vous avais dit que j'avais la responsabilité de ce tas de sable ! Regardez-moi bien dans les yeux, tous ! Vous serez punis ! Allez ! En rang !

Alors, on a vu qu'il ne fallait pas faire les guignols et nous sommes tous partis du tas de sable pour aller nous mettre en rang.

Parce qu'il n'était pas content, le Bouillon ! C'est vrai, il y avait du sable partout : sur la cour, dans nos poches, dans nos chaussures et sur nos figures. Le seul endroit où il n'y avait plus de sable, c'était sur le tas.

Le pique-nique

AUJOURD'HUI, ON VA RIGOLER. Nous partons en pique-nique avec M. et Mme Blédurt. M. Blédurt, c'est notre voisin : il aime bien taquiner papa et souvent ils se battent pour rire, papa et lui. Mme Blédurt, c'est la femme de M. Blédurt ; elle est très gentille et elle aide maman à séparer papa et M. Blédurt.

C'est hier que M. Blédurt est venu nous voir dans le jardin où j'arrosais le gazon et papa me disait comment il fallait faire. Quand M. Blédurt est arrivé, papa ne s'est pas levé de son transat ; il a demandé : « Qu'est-ce que tu veux encore ? », et M. Blédurt lui a répondu : « Si nous partions en pique-nique demain ? » Moi, j'ai trouvé que c'était une très bonne idée et j'ai battu des mains en criant : « Oh oui ! Oh oui ! » Comme je n'avais pas lâché le tuyau d'arrosage, j'ai mouillé papa et M. Blédurt.

– Ça commence bien, a dit papa ; avec toi, Blédurt, je n'irais pas jusqu'au coin de la rue ; à quoi bon gâcher une journée ?

– Tu n'as qu'à pas venir, a dit M. Blédurt ; j'emmènerai ta pauvre femme et ton malheureux enfant qui est si pâlot.

Papa a dit « Ah ! Oui ? » et M. Blédurt a répondu : « Oui » Alors, ils se sont poussés l'un l'autre, comme ils font d'habitude, et maman et Mme Blédurt sont venues. Comme tout le monde était là, on a décidé que c'était une vraiment bonne idée de partir en pique-nique. Papa, il boudait bien un peu, mais ça n'a pas duré longtemps, parce que je sais que papa aime bien les pique-niques. Finalement, il a dit : « Bon, d'accord » et moi, j'ai encore battu des mains et maman m'a dit de lâcher le tuyau d'arrosage et elle s'est plainte que sa mise en plis était fichue.

Après, papa et M. Blédurt se sont mis à discuter au sujet des autos. M. Blédurt voulait qu'on aille tous dans sa voiture qui était plus confortable que celle de papa. Papa a répondu que l'auto de M. Blédurt était un tas de ferraille rouillée et qu'à 20 à l'heure, elle ne tenait plus la route, et qu'elle n'arriverait pas à 20 à l'heure parce qu'elle tomberait en panne avant. M. Blédurt a répondu à papa que papa conduisait comme un pied, et papa lui a dit que le pied il allait le voir de près, et maman et Mme Blédurt ont dit qu'on prendrait les deux autos et tout le monde était très content.

Maman et Mme Blédurt se sont mises d'accord sur les choses qu'elles feraient pour manger, et papa et M. Blédurt ont décidé qu'on se lèverait à 5 heures du matin et qu'on partirait à 6 heures. Moi, je leur ai dit que je trouvais que c'était quand même un peu tôt, mais papa m'a fait les gros yeux et il m'a dit de ne pas me mêler des conversations des grandes personnes. Et puis les Blédurt sont retournés chez eux pour se préparer pour demain matin.

Pendant que maman était dans la cuisine en train de faire des tas et des tas d'œufs durs et de sandwiches, moi, je suis allé chercher dans ma chambre et dans le grenier les choses dont j'aurai besoin. J'ai commencé par prendre les deux ballons de football, le bon et le crevé qui me sert pour m'entraîner. J'ai pris aussi les trois vieilles balles de tennis, on ne sait jamais. Dans l'armoire, j'ai trouvé mon bateau à voiles dont je ne me sers pas depuis longtemps, parce qu'il n'a plus de voiles, mais je m'arrangerai toujours. Sous le lit, j'ai trouvé ma pelle et mon seau pour faire des pâtés de boue ; il n'y a pas de sable au bord de la rivière où on va, mais la boue c'est plus amusant parce qu'il y a des vers dedans. Avec la pelle, j'ai fait tomber ce qui était au-dessus de l'armoire pour voir si je trouvais des choses intéressantes. Il y avait trois petites voitures et un camion avec l'arrière qui bascule : ce sera bien pour transporter les vers. J'ai encore pris le jeu de dames ; comme ça, s'il pleut, on pourra s'amuser dans la voiture.

Comme maman n'aime pas que je laisse ma chambre en désordre, j'ai poussé avec la pelle tout ce dont je n'avais pas besoin sous l'armoire et sous le lit. C'était impeccable ; maman sera contente.

J'ai dû faire plusieurs voyages pour descendre tout ça dans le salon, et après, il a fallu que je monte jusqu'au grenier pour chercher mon vélo qui a une roue faussée, mais papa l'arrangera très bien. Il me l'a promis quand il a faussé la roue en faisant le guignol sur mon vélo pour faire rire M. Blédurt, la semaine dernière, et M. Blédurt ne riait pas, sauf quand papa est tombé, mais c'est la roue qui a tout pris.

J'arrivais dans le salon avec mon vélo, quand maman est entrée en venant de la cuisine. Elle a regardé mes affaires, elle a ouvert des yeux tout ronds et elle s'est mise à crier en me demandant qu'est-ce que c'était que ce fouillis et que je remonte bien vite remettre tout ça à sa place, sinon elle jetterait le tout dans la poubelle. J'ai expliqué que j'avais besoin de ces affaires pour le pique-nique, alors maman a dit : « Voilà ton père qui arrive, on va voir ce qu'il en pense ! » Mais quand papa est entré, maman s'est arrêtée de parler et pourtant elle avait la bouche grande ouverte. Il faut bien dire que papa, on ne le voyait presque pas, sous le filet à crevettes, les trois cannes à pêche, les bottes en caoutchouc, la raquette de tennis, le gros panier pour mettre les petits poissons, l'appareil de photo et les deux transats.

Maman est repartie vers la cuisine en levant les bras au plafond. Papa l'a regardée partir et il m'a demandé : « Qu'est-ce qu'elle a, ta mère ? » Et il a déposé ses choses à côté des miennes sur le tapis du salon ; il faut dire que ça faisait un drôle de tas.

On s'est couchés de bonne heure, parce que papa nous a prévenus que le réveil à cinq heures, c'était sérieux et que ceux qui ne seraient pas prêts, c'était tant pis pour eux, ils n'iraient pas au pique-nique.

Moi, j'ai très peu dormi, parce que j'étais impatient de partir pour le pique-nique, et puis aussi, après ce que m'avait dit papa, j'avais peur de rater le départ. Quand j'ai entendu sonner 5 heures à l'horloge qui est dans la salle à manger, je me suis levé en vitesse et j'ai couru dans la chambre de papa et maman. « Je suis prêt ! », j'ai crié.

Papa, il a fait un saut formidable dans son lit. Il s'est redressé et il a fait avec une drôle de voix : « Qui ? Où ? Pourquoi ? Le feu ? » Et puis il a ouvert les yeux et il m'a regardé entre ses cheveux qui lui tombaient sur la figure et je lui ai expliqué qu'il était 5 heures et qu'on pouvait partir. Papa, il a laissé tomber sa tête sur l'oreiller, il a refermé les yeux et il a dit : « Plus tard, encore cinq minutes, on a le temps, c'est pas pressé », et il a recommencé à dormir. Mais moi, je l'ai secoué, je ne voulais pas qu'il rate le départ ! Ce serait embêtant, c'est lui qui conduit. J'ai allumé la lumière, et maman s'est levée, et elle m'a dit que j'aille faire ma toilette, que je ne m'inquiète pas, qu'elle s'occuperait de papa.

Quand papa a sorti la voiture du garage, M. Blédurt venait de sortir la sienne. Ils n'avaient pas l'air en bonne santé tous les deux. Ils ne riaient pas et ils avaient les yeux tout bouffis. Maman et Mme Blédurt, quand elles ont vu ça, elles ont commencé à charger elles-mêmes les autos. Ça, ça a réveillé papa et

M. Blédurt. « Attention, criait papa, mes cannes à pêche ! Tu vas tout casser ! Pas comme ça ! Ça va tomber ! » De son côté, M. Blédurt disait à Mme Blédurt qu'elle allait rayer son auto avec le fusil et qu'elle allait fausser le coffre. « Laissez faire les hommes, a dit papa, les femmes, ça casse tout dès que ça s'approche d'une voiture ! » « Ouais ! » a dit M. Blédurt, qui pour une fois était d'accord avec papa.

Finalement, on s'est installés dans les autos.

– Je passe le premier, a crié M. Blédurt de sa voiture, je connais la route, moi !

– Pas question, a dit papa, je n'ai pas envie de me traîner derrière ton engin, à respirer l'huile bon marché que tu mets dedans !

– Ah ! Oui ? a crié M. Blédurt.

– Oui ! a répondu papa.

C'est dommage qu'on n'ait pas pu y aller, à ce fameux pique-nique, parce qu'en démarrant tous les deux en même temps, papa et M. Blédurt se sont rentrés dedans et la réparation des autos, ça va bien prendre une semaine.

Chapitre IV
Le Bouillon n'aime pas la glace

Le Bouillon n'aime pas la glace
Je fais des courses
La corrida
Le plombier
Le stylo
Barbe-Rouge
Seul !
La neige
On tourne !

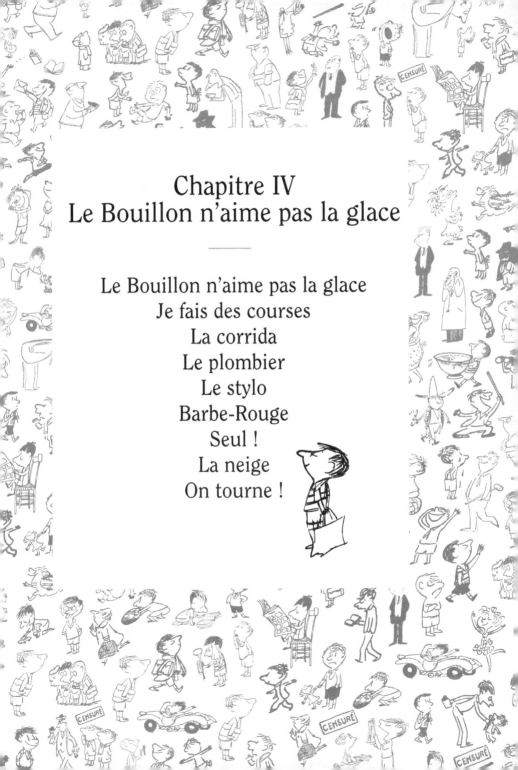

Le Bouillon n'aime
pas la glace

AUJOURD'HUI, quand nous sommes descendus à la récré, nous avons entendu une petite cloche, ding, ding, qui sonnait dans la rue. Alors, nous avons tous couru vers la grille, parce qu'entre la cour et la rue, il y a une grille et, sur la grille, ils ont mis des grands morceaux de fer noir, pour que les gens ne puissent pas voir ce que nous faisons. Nous avons tous grimpé à la grille, et nous avons vu que dehors, il y avait un marchand de glaces avec sa petite voiture blanche.

– Hep ! a dit Geoffroy, c'est combien vos glaces ?

– J'ai le cornet, le double cornet, le triple cornet, la petite tasse et la grande tasse, a répondu le marchand de glaces.

Et quand il nous a dit les prix, Rufus a demandé combien coûtait le demi-cornet. Mais on n'a pas eu le temps d'entendre la réponse, parce que le Bouillon – c'est notre surveillant – est arrivé en courant.

– Voulez-vous descendre tout de suite de cette grille ? il a crié le Bouillon. Vous savez bien qu'il est interdit d'y grimper.

Alors, Clotaire – ce qu'il peut être bête, celui-là – lui a expliqué qu'il y avait le marchand de glaces.

– Le marchand de glaces ? a dit le Bouillon. Il est défendu de manger des glaces dans l'école ; vous en achèterez en sortant, si vos parents vous le permettent, mais pas ici. C'est compris ?

Ding, ding a fait la petite cloche du marchand de glaces, dans la rue. Alors, le Bouillon a grimpé à la grille et il a dit au marchand de glaces de partir.

– Non, mais sans blague, on a entendu dire le marchand de glaces. Je resterai ici si je veux ! Vous n'avez pas le droit de me faire partir ; pour qui vous prenez-vous ?

– Pour la dernière fois, je vous somme de circuler ! a crié le Bouillon.

– Et si je ne pars pas, a demandé le marchand de glaces, qu'est-ce que vous allez me faire ? Vous allez me mettre en retenue ? Vous savez, je les connais, moi, les surveillants ! Ils ne me font pas peur !

Le Bouillon est descendu de la grille ; il était tout rouge et pas content.

– Regardez-moi bien dans les yeux, vous tous, il nous a dit, le Bouillon. Je ne le répéterai pas deux fois : il est formellement interdit de grimper à la grille et de manger des glaces pendant la récréation ! C'est M. le directeur lui-même qui l'a dit. Alors, si j'en attrape un à désobéir, il s'en souviendra ! A bon entendeur, salut ! Et maintenant, allez jouer ailleurs.

Et le Bouillon s'est mis à marcher le long de la grille, et dehors de temps en temps, on entendait ding, ding, et le marchand de glaces qui criait : « A la bonne crème glacée ! A la bonne glace ! Oh, là là ! Qu'elles sont bonnes, mes glaces ! » et ça, ça avait l'air de le mettre encore plus en colère, le Bouillon ; je n'ai jamais vu quelqu'un aimer aussi peu les glaces.

– Bah ! a dit Eudes, après tout, je n'en ai pas tellement envie, d'une glace.

– Moi, si, a dit Alceste. Une glace, c'est un dessert terrible ! Et il a fait un gros soupir, en commençant à manger sa deuxième tartine au fromage.

– Et puis, elles sont trop chères, les glaces, a dit Joachim ; moi, je n'ai pas assez d'argent pour me payer un cornet.

– Moi, a dit Geoffroy, j'ai de quoi payer quatre cornets. Et des doubles.

– Chic ! a dit Maixent, alors tout est arrangé !

– Qu'est-ce qui est arrangé ? a demandé Geoffroy.

– Ben, pour les glaces, a répondu Maixent. Comme tu as de quoi en acheter quatre, il y en aura une pour toi, une pour moi, qui suis ton meilleur copain, et les deux autres, on pourra les manger à la dernière récré.

– Ah oui, a dit Joachim. Et pourquoi je n'en aurais pas une glace, moi ? Moi aussi, je suis le meilleur copain de Geoffroy.

– Non, monsieur, j'ai dit. Le meilleur copain de Geoffroy, c'est moi !

– Ne me fais pas rigoler, a dit Rufus. Geoffroy sait très bien qu'il n'a qu'un seul copain dans l'école, et que ce copain, c'est moi !

– Toi ? a crié Eudes. Mais, il ne peut pas te voir, Geoffroy ! Non, le meilleur copain de Geoffroy, c'est moi, puisque nous sommes assis sur le même banc, en classe.

– Alors, a demandé Rufus, quand tu prends l'autobus, celui qui s'assoit à côté de toi, c'est ton meilleur copain ?

– Tu veux mon poing sur le nez ? a demandé Eudes. Comme ça on verra qui est le meilleur copain de Geoffroy.

– Vous me faites bien rigoler, a dit Geoffroy. Si j'achète quatre doubles cornets, je mange quatre doubles cornets. J'ai pas de raison d'en donner à des minables. Si vous voulez des glaces, vous n'avez qu'à demander des sous à vos papas !

Alors, Eudes a donné un coup de poing sur le nez de Geoffroy, et Geoffroy, ça ne lui a pas plu, et ils ont commencé à se battre, et tous on était pour Eudes contre ce sale égoïste de Geoffroy que personne ne peut voir, c'est vrai, quoi à la fin ! Et puis, le Bouillon est arrivé en courant.

– Qu'est-ce qui se passe ici ? a demandé le Bouillon.

– C'est eux ! a crié Geoffroy. Ils veulent prendre mes glaces !

– C'est pas vrai ! a crié Eudes. C'est ce sale égoïste qui a quatre doubles cornets, et qui ne veut pas en donner à ses meilleurs copains !

– Quatre doubles cornets ? a demandé le Bouillon, en regardant la grille et puis en nous regardant, nous. Vous avez acheté quatre doubles cornets ? Où sont ces glaces ?

– Ben, non, on n'a pas de glaces, m'sieur, a dit Joachim, puisque c'est défendu, vous savez bien.

Le Bouillon s'est passé deux fois la main sur la figure, et il a pris Eudes et Geoffroy chacun par un bras.

– Je ne veux plus entendre parler de glaces ! Vous deux, au piquet !

Et le Bouillon est parti avec Eudes et Geoffroy, et dehors on a entendu ding, ding. Alors Alceste, qui avait la bouche encore pleine de sa dernière tartine, a sauté vers la grille et il a crié :

– Vite ! un cornet simple, vanille, pistache, fraise et framboise !

– Ne crache pas comme ça, on a entendu que lui répondait le marchand de glaces, et choisis un seul parfum. On ne panache pas dans les simples.

Alceste a réfléchi, et puis il a choisi chocolat, et nous on était tous là à le regarder, et puis on a vu la main du marchand de glaces au-dessus de la grille avec un cornet de glace au chocolat. Mais ce n'est pas Alceste qui l'a pris, c'est le Bouillon.

– Aha ! a crié le Bouillon, tout content. Je vous attrape ! Vous
pensiez que je ne surveillais pas de là-bas, hein ? Mais il faut se lever
de bonne heure, pour m'avoir, moi ! Allons, marchez au piquet !
– Eh ! Mon argent ! a crié le marchand de l'autre côté de la grille.
Le Bouillon est parti en tenant le cornet d'une main et Alceste

de l'autre ; on a entendu ding, ding, ding, ding, comme ça, un tas de fois. Et puis, après un petit moment, on a vu entrer dans la cour le marchand de glaces, drôlement furieux !

– Qu'est-ce que vous faites ici ? a crié le Bouillon. Sortez immédiatement, si vous ne voulez pas que j'appelle la police !

– La police ? a crié le marchand de glaces. C'est moi qui vais l'appeler, oui ! Payez-moi ma glace ! Et vite ! Il faut que j'arrive à l'autre école à temps pour la deuxième récré !

Et puis le directeur est arrivé.

– Qu'est-ce que c'est que ce tapage ? a demandé le directeur.

– C'est votre surveillant, là ! a crié le marchand de glaces. Il interdit aux malheureux enfants de manger des glaces, mais lui il ne s'en prive pas, et il refuse de payer !

– Je mange des glaces, moi ? a demandé le Bouillon.

– Ce culot ! Il tient encore le cornet, il a du chocolat jusqu'au coude, et il dit qu'il ne mange pas de glaces ! a crié le marchand de glaces. Non, mais ce culot !

– Payez cet homme, M. Dubon, a dit le directeur.

– Mais, mais... a dit le Bouillon.

– Payez cet homme, a dit de nouveau le directeur. Je n'ai pas le temps de vous parler directement, mais vous viendrez me voir à la direction cet après-midi. Nous réglerons cette affaire.

Et le directeur est parti.

Le plus terrible, c'est que la glace, personne ne l'a mangée ; le Bouillon a jeté le cornet par terre, et il a sauté dessus plusieurs fois avec les deux pieds.

Non, vraiment, je n'ai jamais vu quelqu'un aimer aussi peu les glaces que le Bouillon.

Je fais des courses

MAMAN M'A APPELÉ et elle m'a dit : « Nicolas, sois gentil et va me chercher, chez l'épicier, deux boîtes de petits pois fins, comme je lui en ai acheté la semaine dernière, un paquet de café, il sait lequel, et deux livres de farine. »

Moi, j'étais content, parce que j'aime bien rendre service à ma maman et aussi, ça me plaît d'aller chez l'épicier, M. Compani, qui est très gentil et qui me donne toujours des biscuits, les cassés qui restent au fond des boîtes, mais qui sont rudement bons. Je suis donc parti, après que maman m'ait donné des sous et qu'elle m'ait dit de faire vite et de ne pas me tromper pour la commande.

Dans la rue, je me disais, pour ne pas oublier : « Deux boîtes de petits pois fins, comme maman en a acheté la semaine dernière, un paquet de farine, il sait laquelle, et deux livres de café… » Tout d'un coup, j'ai entendu qu'on m'appelait : « Nicolas ! Nicolas ! » Je me suis retourné et qui je vois ? Je vois Clotaire sur un vélo tout neuf. Clotaire est un de mes camarades de classe qui habite tout près de chez moi. Il est gentil, Clotaire, mais il n'a pas beaucoup de chance à l'école, il est toujours le dernier de la classe. C'est pour ça que j'ai été étonné qu'il ait un vélo. Surtout, quand il m'a dit que son papa lui avait fait cadeau du vélo pour sa composition d'arithmétique. Mais Clotaire m'a rappelé qu'il avait eu 3 à la composition, ce qui était beaucoup mieux que la dernière fois. C'est d'ailleurs la meilleure note qu'il ait jamais eue en composition d'arithmétique. Et, mieux encore, il n'était pas le dernier, mais l'avant-dernier. Le dernier, c'est un nouveau dans la classe qui a copié sur Clotaire.

Il est chouette le vélo de Clotaire : il a un guidon de course et il est tout jaune. Clotaire m'a offert de faire un tour tout seul et puis, ensuite, moi je suis monté sur le guidon et puis lui, il a pédalé, après c'est moi qui ai pédalé et lui il était assis sur le porte-bagages. Je lui ai demandé à Clotaire comment ça se faisait qu'il y avait un porte-bagages sur son vélo de course et il m'a répondu que, justement, c'est pour ça que c'était un vélo de course ; le porte-bagages lui servait à faire des courses pour sa maman.

Ça m'a rappelé alors que j'avais, moi aussi, des courses à faire et j'ai dit au revoir à Clotaire qui est reparti sur son vélo.

J'avais peur d'avoir oublié ce que j'avais à acheter, alors, je me suis répété tout bas : « Une boîte de petits pois fins, deux paquets de café, comme maman en a acheté la semaine dernière, et deux livres de farine, il sait laquelle. » C'est un bon truc de se répéter tout le temps des choses, pour ne pas les oublier.

Au coin de la rue, il y avait une auto arrêtée et un monsieur en train de changer une roue, parce que le pneu était crevé. J'ai regardé et j'ai demandé au monsieur si son pneu était crevé. Il m'a dit que oui, mais il n'avait pas l'air d'avoir tellement envie de parler. Je sais que papa, dans ces cas-là, n'aime pas beaucoup parler non plus. Alors, je me suis mis derrière le monsieur et j'ai regardé sans rien dire, pour ne pas le gêner. Je trouvais pourtant que le monsieur il ne le mettait pas bien, son cric, qu'il était de travers. Le monsieur ne s'en rendait pas compte, il se tournait

vers moi, chaque fois, je me demande pourquoi. C'est fou ce que les gens sont curieux, comme dit maman. Et puis, tout d'un coup : boum ! le cric a glissé et la voiture est retombée, avec la roue de travers. Du coffre de l'auto, il y a un tas de bouteilles qui sont tombées dans le ruisseau et qui se sont cassées. Là, je me suis dit que quand même, il valait mieux prévenir le monsieur. « Faites attention, je lui ai dit, avec tout ce verre cassé, vous risquez de crever de nouveau ! »

Le monsieur, qui me regardait pourtant tout le temps quand je ne lui parlais pas, là, il m'a parlé sans me regarder. Je ne voyais que le dos de sa tête qui était devenu tout rouge. « Tu n'as rien d'autre à faire que de rester ici ? », il m'a demandé. Alors, je suis parti en courant, parce que je me suis rappelé que je devais acheter deux paquets de café comme maman en a acheté la semaine dernière et deux livres de petits pois fins, il sait lesquels. Deux et deux, c'est facile à se rappeler. Moi, je trouve toujours des systèmes comme ça pour ne pas oublier. J'allais traverser la rue, en faisant bien attention de ne pas me faire écraser, quand j'ai rencontré M. Blédurt, notre voisin. « Mais c'est le petit Nicolas, qu'il a dit, M. Blédurt, comment ça va, bonhomme ? » Et puis il m'a pris la main, en me disant que j'étais trop petit pour traverser tout seul et que mon papa et ma maman étaient bien imprudents de me laisser traverser les rues. Comme M. Blédurt me parlait en traversant, il n'a pas vu le gros camion qui a dû donner un coup de frein et se mettre en travers de la rue, pour nous éviter. M. Blédurt a fait un bond terrible et, comme il me tenait la main, il a fallu que je suive.

Le chauffeur du camion a sorti la tête par la portière et a demandé à M. Blédurt s'il n'était pas fou. M. Blédurt a répondu au chauffeur que quand on ne sait pas conduire, on fait de la dentelle, que c'était moins dangereux pour les autres. Alors, le chauffeur a dit qu'il était prêt à suivre ce conseil et qu'il allait commencer par

faire de la dentelle avec les oreilles de M. Blédurt, ce qui m'a fait
rigoler parce que c'est une drôle d'idée. Mais M. Blédurt, ça ne l'a
pas fait rigoler. Il a dit au chauffeur de descendre s'il était un
homme. Le chauffeur est descendu de son camion. M. Blédurt
savait, bien sûr, que le chauffeur était un homme, mais je ne crois
pas qu'il savait que c'était un homme aussi grand. Moi, en tout

cas, j'ai été surpris. M. Blédurt a commencé à reculer à petits pas
en disant « Ça va, ça va, ça va », et puis il a buté des talons contre
les bords du trottoir et il est tombé assis. Le chauffeur l'a relevé
par les revers de sa veste et il a dit à M. Blédurt que quand on a de
la confiture dans les yeux, on ne traverse pas les rues. C'est ça qui
m'a rappelé que j'avais encore des courses à faire. J'aurais voulu
voir la fin de la discussion entre le chauffeur et M. Blédurt, mais
je suis parti en courant pour aller chercher les deux boîtes de
confiture, comme maman en a acheté la semaine dernière.

J'étais maintenant tout près de l'épicerie de M. Compani, ce n'était plus la peine de se presser, et ça tombait bien, parce que j'ai vu Alceste. Alceste, c'est mon ami, celui qui est gros et qui mange tout le temps. Alceste était à la fenêtre de sa maison. Il habite entre l'épicerie et la charcuterie, ce qui lui plaît beaucoup, et, en plus, derrière chez lui, il y a un restaurant, alors, quand le vent souffle du bon côté, il y a plein d'odeurs de cuisine. Au fond, c'est peut-être pour ça qu'Alceste a toujours faim.

Alceste m'a dit de monter chez lui, parce que sa maman avait acheté un livre formidable avec des images en couleur. Je suis donc entré chez Alceste, et là, j'ai été un peu déçu. Son fameux livre, c'était un livre de cuisine, mais comme Alceste avait l'air de l'aimer beaucoup, ce livre, je ne lui ai rien dit et j'ai même fait semblant de m'intéresser à toutes ces histoires de demi-poularde en deuil, de pommes soufflées et de brochet mousseline. Alceste, il me montrait du doigt les images et il avalait de la salive. Moi, je voulais partir, mais Alceste me montrait chaque fois autre chose. Heureusement, nous sommes arrivés à la fin du livre, là où on explique comment on fait le zabaglione qui est un dessert qui n'a pas l'air mal du tout. Mais le temps avait passé et je me suis dit que maman ne serait pas contente, alors, j'ai vite dit au revoir à Alceste qui ne m'a pas entendu, parce qu'il recommençait le livre à partir de la première page.

Je suis entré chez M. Compani, dans l'épicerie, où, heureusement, je n'ai pas eu à attendre, il n'y avait pas d'autres clients. Il faut dire qu'il était un peu tard.

Mais là, impossible de me rappeler ce que je devais demander à M. Compani. Je me souvenais seulement que c'était quelque chose comme maman en avait acheté la semaine dernière. Alceste m'avait embrouillé avec toutes ses histoires de cuisine.

Heureusement, M. Compani, qui a de la mémoire, s'est souvenu que maman lui avait acheté deux paquets de savon de lessive.

Je suis parti en courant avec mes paquets et je ne me suis même pas arrêté pour regarder le monsieur qui changeait la roue de sa voiture. Ce n'était pas la même roue, d'ailleurs. Il avait dû crever sur les bouteilles cassées, comme je le lui avais dit.

Maman n'était pas contente, elle m'a grondé parce que j'étais très en retard, il faut dire que pour ça, elle avait raison. Mais là où je ne suis pas d'accord, c'est quand maman m'a dit qu'elle n'avait pas besoin des deux paquets de lessive.

Ce n'est tout de même pas de ma faute si elle a changé d'avis !

La corrida

QUAND NOUS SOMMES DESCENDUS À LA RÉCRÉ, on se demandait à quoi on allait pouvoir jouer, puisque le ballon de foot d'Alceste est confisqué jusqu'à la fin du trimestre.

– Si on jouait à la corrida ? a proposé Geoffroy.

– C'est quoi, ça ? a demandé Alceste.

Et Geoffroy lui a expliqué qu'il avait vu un film terrible, qui se passait en Espagne et que c'était formidable. La corrida, ça se jouait dans un stade, comme le foot, et il y avait un taureau et des toréadors drôlement bien habillés et que les toréadors ils agitaient des linges rouges, et le taureau courait contre les linges parce que ça l'énervait qu'on lui agite des trucs rouges devant la figure, et puis qu'après, le toréador chef il sortait une épée et il tuait le taureau et tout le monde se levait dans le stade, et tous criaient, contents comme tout. Moi aussi, j'avais vu un film qui se passait en Espagne et j'ai dit que c'était une chouette idée de jouer aux toréadors.

– Mais puisqu'on n'a pas de ballon ! a dit Alceste.

– Imbécile, a dit Geoffroy. On n'a pas besoin de ballon ! Puisque je te dis que ça se joue avec un taureau !

– Qui est un imbécile ? a demandé Alceste.

– Toi, a répondu Geoffroy.

– Bon, a dit Alceste. Dès que je finis de manger mes tartines, tu vas voir.

Parce que, je ne sais pas si je vous l'ai dit, mais Alceste c'est un copain très gros qui mange tout le temps et qui apporte toujours des tas de tartines à la récré. Et il ne se bat jamais avant d'avoir fini ses tartines.

– C'est où, l'Espagne ? a demandé Clotaire.

Et ça, ça nous a bien fait rigoler, parce que Clotaire, qui est le dernier de la classe, ne sait jamais rien de rien, et pourtant il a la télé chez lui ! On lui a expliqué que l'Espagne, c'était le morceau de pays qui se trouvait juste en dessous de la France, sur la carte. Clotaire, il était vexé qu'on rigole.

– Je sais peut-être pas où est l'Espagne, il a dit, mais j'ai vu un taureau, quand j'étais en vacances. Même qu'il ne fallait pas entrer dans le pré quand il était là, parce qu'il était drôlement méchant. Mais, moi, j'avais pas peur.

– Bon, a dit Geoffroy. Alors, tu seras le taureau. Moi, bien sûr, je serai le toréador chef, et je serai habillé avec un chouette costume, avec plein d'or dessus qui brille, et un pantalon serré qui s'arrête aux genoux et des bas blancs. Et je serai très grand et très mince.

Comme c'était Geoffroy qui avait eu l'idée de la corrida, nous on n'a pas protesté.

– Moi, je serai l'arbitre, a dit Joachim.

– T'es pas un peu fou, non ? a dit Rufus. L'arbitre, ce sera moi, parce que c'est moi qui ai le sifflet !

Et c'est vrai, ça ! Le papa de Rufus, qui est agent de police, lui a donné un de ses vieux sifflets à roulette, et depuis, quand on joue, c'est toujours Rufus qui fait l'arbitre.

– C'est pas une raison ! a crié Joachim. C'est pas parce que tu as un sifflet que tu seras toujours l'arbitre. J'en ai assez, moi ! Et puis, d'ailleurs, écoute, je n'ai pas besoin de ton sale sifflet pour faire l'arbitre !

Et Joachim s'est mis à faire le sifflet à roulette en criant « Prrri, prrrri ! » très bien.

    – Mais vous êtes bêtes ! a crié Geoffroy. Il n'y a pas d'arbitre ! Quand le toréador a tué le taureau, il a gagné, et puis, c'est tout !

    – Alors, a dit Maixent, dès le début on sait qui va gagner ? C'est bête comme jeu ! Vous me faites bien rigoler, tiens !

    – Et puis, j'ai dit à Geoffroy, si c'est toi le toréador chef, moi, qu'est-ce que je suis ?

— Toi, a dit Geoffroy, tu peux être le type qui est sur un cheval et qui se bat contre le taureau avec une lance. Il est moins bien habillé que le toréador chef, mais il est très important comme joueur.

— Je veux bien être le type sur le cheval avec la lance, j'ai dit, mais je ne marche pas pour être moins bien habillé que toi ! Non, mais sans blague !

Alors Geoffroy a dit que bon, que je pourrai être aussi bien habillé que lui, mais que c'était pas comme ça les vraies corridas. C'est vrai quoi, à la fin, parce que Geoffroy a un papa qui est très riche, il faut toujours qu'il soit mieux habillé que les autres !

— Et puis, je veux que mon cheval soit blanc ! j'ai dit.

— Moi, je veux bien être ton cheval blanc, a dit Eudes, qui est un bon copain, et comme il est très fort, il fait aussi un très bon cheval.

— Alors, moi, a dit Clotaire, je veux être blanc aussi !

— Mais non ! a crié Geoffroy. Toi, tu es le taureau, et le taureau est noir. Où est-ce que tu as vu un taureau blanc ? Il était blanc, le taureau avec qui tu étais en vacances ?

— Ah ! Bravo ! a dit Clotaire. Alors, Eudes, il peut être un cheval blanc, et moi, je dois être un taureau noir ? Eh bien, je ne marche pas ! Je peux être aussi blanc que n'importe quel imbécile !

— Tu veux mon poing sur le nez ? a demandé Eudes.

Et il est allé donner un coup de poing sur le nez de Clotaire, et comme moi j'étais déjà sur les épaules d'Eudes, j'ai failli tomber, et avec le doigt, comme si c'était un revolver, j'ai fait : « Pan ! Pan ! » sur Clotaire, qui donnait des coups de pied au cheval.

— Quoi, pan, pan ? a crié Geoffroy. Tu as une lance, imbécile ! T'es pas un cow-boy, tu es un toréador à cheval !

— Et si ça me plaît d'être un cow-boy ? j'ai crié.

Parce qu'il m'énerve, à la fin, Geoffroy, à vouloir commander tout le temps.

Et puis on a entendu un gros coup de sifflet : c'était Rufus, qui s'est mis à crier : « Penalty ! Penalty ! »

– Prrrri ! Prrrri ! criait Joachim. Non, monsieur ! Non, monsieur ! L'arbitre, c'est moi ! Prrrri !

Alors, Rufus a donné une baffe à Joachim, qui la lui a rendue, et puis moi je suis tombé de cheval parce que Eudes et Clotaire se roulaient par terre en se donnant des gifles, et comme

Maixent s'est mis à rigoler, je lui ai donné une grosse claque. Geoffroy, lui, il s'est baissé et il a agité son mouchoir devant la figure de Clotaire, et il criait « Taureau ! Taureau ! » Et je ne sais pas si un vrai taureau y serait allé, pas tellement parce que le mouchoir de Geoffroy n'était pas rouge, mais surtout parce qu'il était drôlement sale. Et puis Alceste s'est jeté sur Geoffroy en criant : « Alors, c'est qui l'imbécile ? » Et il a dû manger drôlement vite, Alceste, parce que je n'aurais pas cru qu'il aurait été prêt si tôt.

241

On rigolait bien tous et puis M. Mouchabière est arrivé en courant. M. Mouchabière, c'est un de nos surveillants, et on n'a pas pu encore lui trouver un surnom rigolo.

– Bande de petits sauvages ! il criait, M. Mouchabière. C'est chaque fois la même chose ! Je commence à en avoir assez ! Vous serez tous punis ! Cessez de vous battre ! Allons ! Cessez ! Et allez vous mettre en rang ! J'ai déjà sonné la fin de la récréation !

Alors, nous, on est allés se mettre en rang, et Geoffroy était furieux.

– Avec vous, il a dit, on ne peut jamais jouer à des jeux intelligents. Vous êtes tous bêtes ! Tous !

Et ce n'est pas juste, ce qu'a dit Geoffroy ; la preuve, c'est qu'en marchant pour aller en classe, j'ai entendu le Bouillon – c'est un autre de nos surveillants – qui parlait avec M. Mouchabière :

– Alors, a demandé le Bouillon, ça s'est bien passé ?

– Une vraie corrida ! a répondu M. Mouchabière.

Le plombier

Depuis longtemps, il y a une fuite sous l'évier de la cuisine, et maman, et puis papa, ont téléphoné plusieurs fois au plombier, et le plombier dit toujours qu'il va venir dès qu'il le pourra, mais il ne vient jamais. Alors maman a demandé à papa d'essayer d'arranger la fuite lui-même, et papa a dit que non, qu'il n'était pas plombier et qu'il avait peur de faire des bêtises, et maman lui a dit qu'il avait peut-être raison. Alors papa a essayé d'arranger la fuite, mais il n'a pas réussi et il s'est fait mal au doigt. Alors maman, en attendant le plombier, attache un chiffon autour du tuyau de l'évier, et elle met un seau en dessous, et quand le seau est plein, elle le vide dans l'évier, et elle doit faire ça de plus en plus souvent.

Samedi après-midi, en sortant de l'école, j'étais bien content, d'abord parce que c'est toujours chouette de sortir de l'école le samedi après-midi, puisqu'on sait que le lendemain c'est dimanche, et puis aussi, parce que papa et maman ont invité M. et Mme Malbain à venir prendre le thé à la maison. M. Malbain travaille dans le même bureau que papa, et ils sont très copains tous les deux ; papa nous raconte souvent les chouettes farces qu'ils se font au bureau. Moi, j'aime bien quand il y a des invités pour le goûter, parce que maman prépare des tas et des tas de bonnes choses.

Quand je suis arrivé à la maison, j'avais couru, M. et Mme Malbain n'étaient pas encore arrivés ; maman préparait la table pour le thé – il y avait une tarte aux fraises – et papa m'a dit :

– Quand on sonnera, tu me laisseras ouvrir ; je vais faire une blague à Malbain.

– Quelle blague ? Quelle blague, dis ? j'ai demandé.

– Je vais mettre mon imperméable, m'a répondu papa en rigolant, et puis quand j'ouvrirai, je dirai à Malbain et à sa femme : « Vous ici ? Quelle surprise ! Mais, je ne vous attendais pas aujourd'hui ! C'est samedi prochain que vous deviez venir... Ah là là ! C'est ennuyeux parce que, comme vous le voyez, je me préparais à sortir. »

Moi, j'ai rigolé et j'ai tapé des mains. Il a des idées terribles, papa. Avec lui, on s'amuse comme vous ne pouvez pas savoir. Maman, dans la salle à manger, a fait un sourire, et elle a dit :

– J'ai deux enfants, mais je ne sais pas lequel est le plus gosse des deux !

Et puis, on a sonné à la porte. Alors papa a vite mis son imperméable qu'il avait préparé sur le fauteuil, et moi, j'étais tellement énervé que je riais et que je sautais sur le tapis. Et puis papa a ouvert la porte en essayant de rester sérieux, et c'était le plombier.

– C'est le plombier, a dit le plombier. C'est bien ici que vous avez une fuite ?

– Oui, a dit papa, qui était resté tout étonné. Je ne vous attendais pas aujourd'hui.

– Je vois ça, a dit le plombier. Vous êtes habillé pour sortir ; si vous voulez, je peux revenir un autre jour.

– Non, non, non, a dit papa. Je ne sors pas, j'attends du monde, au contraire.

– Eh bien, dites donc, a dit le plombier en regardant l'imperméable de papa, elle doit être importante, votre fuite ?

Papa a fait entrer le plombier, il a enlevé son imperméable, et il lui a dit que la fuite c'était dans la cuisine, et puis on a sonné à la porte.

– Excusez-moi, a dit papa.

– Faites, a dit le plombier.

Papa a ouvert la porte, et cette fois-ci, c'était M. Malbain avec Mme Malbain. M. Malbain avait mis une grosse moustache sous son nez, et il a crié en rigolant :

– Ch'est bien ici qu'il faut livrer le charbon, fouchtra ?

Papa a fait entrer M. et Mme Malbain dans le salon, et quand M. Malbain a vu le plombier, il a cessé de rigoler, et il a enlevé sa moustache. Papa et maman, M. Malbain, Mme Malbain et le plombier se sont donné la main, M. et Mme Malbain m'ont embrassé, papa a montré le plombier et il a dit :

– Monsieur est le plombier. Nous avons une fuite.

– Ah ! Très bien, a dit Mme Malbain.

– Venez, Monsieur, a dit maman. Je vais vous montrer.

Alors, le plombier et moi nous avons suivi maman dans la cuisine, et maman a montré le tuyau sous l'évier, et elle a dit :

– C'est ici.

Le plombier et moi, nous nous sommes baissés, le plombier a regardé le tuyau, il a enlevé le chiffon, il s'est frotté le nez avec le doigt, et il a demandé :

– Tsss ! Qui vous a fait cette installation ?

– C'était déjà comme ça quand nous avons emménagé, a expliqué maman. Mais jusqu'à ça fait un mois, nous n'avons pas eu d'ennuis.

– Tsss ! a dit le plombier. Bien sûr, vous avez attendu trop longtemps pour m'appeler… Regardez-moi ce travail ! Une honte !
Ça ne peut pas tenir, c'est toujours la même chose ; on a fait des
économies de bouts de chandelle sur les devis, on n'a pas de
conscience professionnelle, alors bien sûr, tôt ou tard, ça fuit, et
c'est moi qui dois réparer les dégâts ! Tenez, Madame, je suis en
ce moment sur un chantier, c'est moi qui fais la plomberie. Eh
bien, pas plus tard qu'hier, je suis allé voir l'architecte, et je lui
ai dit : « M. Lévrier – c'est l'architecte –, M. Lévrier, moi, je veux
bien respecter les devis, mais alors, j'aime autant vous prévenir
tout de suite : je ne prends pas la responsabilité de l'installation.
Parce que ça-ne-tiendra-pas ! » Comprenez-vous ?…

– Oui, oui, a dit maman. Maintenant, je vous demande pardon,
mais j'ai du monde, et il faut que j'aille m'occuper de…

– Faites, faites, a dit le plombier.

Moi, je suis resté dans la cuisine avec le plombier, qui touchait
les tuyaux et qui faisait « tsss » des tas de fois. Et puis, il s'est
retourné, il m'a regardé, et il m'a demandé :

– Comment t'appelles-tu, petit ?

– Nicolas, je lui ai répondu.

– Alors, Nicolas, il m'a demandé, ça t'intéresse, la plomberie ?

– Oui, Monsieur, je lui ai répondu.

– Et à l'école, tu travailles bien ? il m'a demandé.

– Ben oui, j'ai dit.

C'est vrai, j'avais fait sixième en grammaire ce mois-ci. Et puis
papa est entré dans la cuisine.

– Nicolas, m'a dit papa, ne dérange pas Monsieur. Laisse-le
travailler.

– Mais non, mais non, a dit le plombier. Il ne me dérange pas
du tout. Nous sommes devenus de grands amis, n'est-ce pas,
Nicolas ? Il faut que je vous dise que j'ai un petit-fils qui a à peu
près son âge. Et déluré avec ça ! Tsss ! Théodore, qu'il s'appelle,

comme son pépé. Un vrai petit lutin... Mais, nous ne sommes pas là pour parler de Théodore, n'est-ce pas ?

Le plombier a rigolé et papa a rigolé aussi.

– Alors, pour cette fuite ? a demandé papa.

– Eh bien, a répondu le plombier, comme je le disais à Madame, c'est toute l'installation qu'il faudrait refaire, parce que franchement, ce n'est pas du travail. Mais enfin, si vous ne voulez pas faire des frais, je peux vous bricoler quelque chose en attendant. Ça sera toujours plus pratique que le seau et le chiffon, n'est-ce pas ?

– C'est ça, c'est ça, a dit papa. Bricolez-nous ça... Vous en aurez pour longtemps ?

– Oh, en deux ou trois heures, ça devrait être fini, a dit le plombier.

– Bon, a dit papa. Viens, Nicolas, laisse travailler Monsieur.

– Mais, a dit le plombier, je ne vais pas faire ça aujourd'hui : je n'ai d'ailleurs apporté ni mes outils, ni mon apprenti. Je suis venu pour voir. Je reviendrai, voyons… Demain, c'est dimanche… Lundi, je suis fermé… Voyons, mardi, je suis sur le chantier… Mercredi ou jeudi. Avant la fin de la semaine, en tout cas. En attendant, je vais vous couper l'eau, parce que ça risque de faire des dégâts… Touche pas au tuyau, petit.

– Nicolas ! a crié papa, qui tout d'un coup a eu l'air très en colère. Je t'ai déjà dit de ne pas rester ici ! Et puis, tu as sûrement des devoirs à faire ! Monte dans ta chambre !

– Ben, j'ai pas encore goûté, et mes devoirs je les ferai demain matin.

– Monte tout de suite ! a crié papa.

– Alors là, vous avez raison, Monsieur, a dit le plombier. Il faut être sévère. Je suis comme vous avec mon petit Théodore ; si on n'est pas un peu ferme, avec eux, les gosses, ça passerait son temps à traîner. Tsss !

Le stylo

CE MATIN, Geoffroy est entré dans la cour de l'école, il s'est arrêté et il nous a crié : « Eh ! Les gars ! Venez voir ce que j'ai ! » C'est drôle, chaque fois que Geoffroy amène quelque chose à l'école, il ne vient pas vers nous : il s'arrête à l'entrée de la cour de récré, il nous crie : « Eh ! Les gars ! Venez voir ce que j'ai ! » Alors, nous y sommes allés et il avait un stylo.

– C'est mon papa qui me l'a donné, nous a dit Geoffroy.

Geoffroy a un papa très riche qui lui donne tout le temps des tas de choses.

– C'est pour m'encourager à bien travailler que papa m'a fait cadeau du stylo, nous a expliqué Geoffroy.

– Et ça t'a encouragé ? a demandé Clotaire.

– Je ne sais pas encore, a répondu Geoffroy, je ne l'ai eu qu'hier soir.

Il est très chouette, le stylo de Geoffroy, rouge avec un rond doré au milieu et autour. Geoffroy nous a montré comment on faisait pour le remplir, et il nous a dit :

– Et puis, la plume est en or.

Là, on s'est tous mis à rigoler. C'est vrai, il est très menteur, Geoffroy, il dit n'importe quoi. Mais Geoffroy n'a pas aimé qu'on rigole.

– Regardez, il a dit en nous montrant la plume. Elle est jaune et elle brille, c'est pas de l'or, ça ?

– Ben, ça veut rien dire, a dit Rufus, ma maman a donné à mon papa une cravate jaune et qui brille, et pourtant elle n'est pas en or. Même que ça fait des histoires avec maman, parce que papa ne veut pas la porter, la cravate. C'est dommage, parce qu'elle est chouette, la cravate de mon papa.

– Tu nous embêtes avec la cravate de ton papa, a dit Geoffroy. Ma plume, elle, elle est en or !

– Montre voir, a demandé Joachim, qui a tendu la main pour prendre le stylo ; mais Geoffroy n'a pas voulu le lui donner.

– Si tu veux un stylo, a dit Geoffroy, tu n'as qu'à demander à ton papa de t'en offrir un.

– Qu'est-ce que tu as dit de mon papa à moi ? a demandé Rufus. Répète un peu.

Geoffroy a regardé Rufus tout surpris.

– Ton papa ? Je ne sais pas ce que j'ai dit de ton papa.

– Tu sais bien, lui a expliqué Rufus, pour le coup de la cravate...

– Ah ! Oui ! a dit Geoffroy, j'ai dit que tu nous embêtes avec la cravate de ton papa.

Alors, Rufus a donné une gifle à Geoffroy, et Geoffroy, s'il y a une chose qu'il n'aime pas, c'est qu'on lui donne des gifles.

– Si tu veux, a dit Alceste, je te tiendrai le stylo, pendant que tu te bats avec Rufus.

Alors, Geoffroy a donné le stylo à Alceste et il est allé se donner des claques avec Rufus qui l'attendait.

Alceste a dévissé le stylo pour voir la plume et Joachim lui a dit :

– Donne voir un peu.

– Si tu veux un stylo, lui a dit Alceste, t'as qu'à faire comme t'a dit Geoffroy : demande à ton papa de t'en offrir un.

Joachim a voulu prendre quand même le stylo, et Alceste, qui ne s'y attendait pas et qui a toujours les doigts pleins de beurre à cause des tartines, a lâché le stylo, qui est tombé par terre, la

plume en avant, bing ! Il ne faut jamais donner à Alceste des choses qui glissent facilement.

– Mon stylo ! a crié Geoffroy, qui est arrivé en courant.

– Ben quoi, a dit Rufus, tu me laisses tomber, alors ?

Mais Geoffroy ne l'écoutait pas ; il est allé vers Alceste et il l'a poussé.

– Pourquoi t'as jeté mon stylo par terre, imbécile ? il a crié, Geoffroy.

Alceste, il s'est drôlement fâché et il a donné un grand coup de pied au stylo.

– Voilà ce que j'en fais de ton sale stylo !

Le stylo est arrivé devant Maixent, qui me l'a envoyé.

– Une passe ! Une passe ! a crié Eudes.

Moi, j'ai passé à Eudes, une passe assez longue, et Rufus est venu vers moi tout fâché en criant :

– Ça vaut pas ! T'étais hors jeu !

Moi, ça m'a fait rigoler, ça ; avec Rufus, c'est toujours la même chose ; comme il joue mal au foot, il dit que ce sont les autres qui font des fautes. Mais on n'a pas pu discuter, parce que Geoffroy criait tellement que ça n'a pas raté : le Bouillon est venu en courant. Qu'il est bête, Geoffroy !

Le Bouillon, c'est notre surveillant, et avec lui, il ne faut pas rigoler.

– Qu'est-ce qui se passe ici ? il a demandé.

– Ce sont des méchants et des jaloux ! a crié Geoffroy qui avait l'air vraiment très fâché. Tout ça, c'est parce qu'ils n'ont pas de plume en or, eux !

– Toi non plus ! Menteur ! a crié Rufus.

– Répète un peu qu'elle n'est pas en or ma plume ! a crié Geoffroy.

Le Bouillon, il nous regardait avec des yeux, comme s'il était étonné, et puis il a crié : « Silence ! » Alors plus personne n'a rien dit, parce qu'avec le Bouillon, si on ne lui obéit pas, ça fait des histoires.

– Bon, a dit le Bouillon. Regardez-moi dans les yeux, vous tous. J'en ai assez de vous voir vous conduire comme des sauvages et de vous entendre raconter des absurdités. Vous, Geoffroy, calmez-vous et expliquez-moi ce qui se passe.

Alors, Geoffroy lui a raconté le coup du stylo, il a encore dit que nous étions des jaloux, parce que nos papas ne nous donneraient jamais des stylos aussi chouettes que le sien pour nous encourager, et que c'était bien fait pour nous, et que la plume du stylo était vraiment en or, et que son stylo était le plus beau stylo de l'école, et le Bouillon a dit que ça va comme ça, du calme, et qu'on rende immédiatement le stylo à notre camarade, et que nous devrions avoir honte d'agir comme ça, mauvaise graine.

– Tiens, Geoffroy, a dit Joachim, le voilà, ton stylo.

Geoffroy allait prendre le stylo, mais le Bouillon a dit :

– Non. C'est moi qui le prends ce stylo. Je le confisque jusqu'à la sortie. D'ailleurs, il sera mieux dans ma poche qu'entre vos mains, petits vandales !

Alors, Joachim a donné le stylo au Bouillon, et puis le Bouillon a regardé ses doigts et ils étaient pleins d'encre. Il est resté un moment à réfléchir, et puis il a dit :

– Tout compte fait, Geoffroy, je vous rends votre stylo ; mais promettez-moi d'être sage.

– Si vous voulez, a dit Geoffroy, vous pouvez le garder jusqu'à la sortie, le stylo : c'est pas une mauvaise idée, parce que...

– Geoffroy ! Reprenez votre stylo ! a crié le Bouillon.

Alors, Geoffroy a repris le stylo, et comme il était plein d'encre, il l'a bien essuyé sur sa manche, parce qu'on dira ce qu'on voudra de Geoffroy, mais il est très, très soigneux. Et après, il nous a boudés jusqu'à ce que le Bouillon ait fini de se laver les mains et ait sonné l'heure de rentrer en classe.

La maîtresse nous a dit de prendre nos cahiers, parce qu'elle allait nous faire une dictée. Alors, Geoffroy, tout fier, il a pris son stylo, et là, on a été tous bien étonnés. Parce que, vous ne le croirez peut-être pas, mais le fameux stylo de Geoffroy, il avait beau avoir une plume en or, et tout et tout, il n'écrivait pas !

Comme nous a dit Geoffroy en sortant de la classe : « Les choses qu'on achète maintenant, c'est toujours comme ça : dès qu'on y touche, ça casse. »

Barbe-Rouge

ALCESTE EST VENU JOUER À LA MAISON AUJOURD'HUI, et c'est très chouette, parce qu'Alceste est un copain, et on s'entend bien tous les deux. Il est arrivé avec un ballon de foot dans les bras et deux tartines à la confiture dans les poches ; il aime bien manger, Alceste, et il ne sort jamais sans provisions.

– Jouez dans le jardin gentiment, nous a dit maman, et ne faites pas trop de bruit, parce que papa est fatigué et il veut se reposer.

– D'accord, a dit Alceste, on va jouer au foot et on va tâcher de ne pas crier, sauf si Nicolas triche.

– Non, non, non ! Pas de football, vous allez encore me casser un carreau ; trouvez un autre jeu, quelque chose de calme, a dit maman, et elle est partie.

– Ben alors, a dit Alceste, si on peut pas jouer au foot, à quoi on va jouer ?

– Si on jouait aux pirates ? j'ai dit.

– Aux pirates ? Et on joue comment, aux pirates ? m'a demandé Alceste.

Alors, moi, je lui ai dit qu'on jouerait à Barbe-Rouge, qui est une histoire très chouette qu'on lit dans un journal, et où il y a des pirates, et leur chef a une barbe toute rouge et c'est pour ça qu'on l'appelle Barbe-Rouge, et il se bat tout le temps avec des tas d'ennemis, mais c'est pas grave, parce que c'est toujours lui qui gagne, et il crie chaque fois des choses comme : « Ho hisse, les garçons ! » et « Carguez les voiles ! », et il a un équipage drôlement fidèle qui prend toujours à l'abordage les bateaux des autres, et ils ont l'air de bien s'amuser en le faisant, et les autres ne sont pas contents, mais c'est bien fait pour eux, parce que c'est des méchants, et Alceste m'a dit que c'était une chouette idée de jouer aux pirates.

– Mais le bateau ? il m'a demandé, Alceste, il serait où, le bateau ?

Moi je lui ai dit que le bateau ce serait tout autour de l'arbre du jardin ; l'arbre ce serait le mât où on met les voiles et où on pend les ennemis ; et puis le bateau s'appellerait le *Faucon-Noir*, comme dans le journal. Pour les canons, comme on n'en avait pas, on prendrait le ballon de foot et on ferait comme si c'était un canon : boum, boum.

– On n'est pas assez nombreux pour jouer aux pirates comme dans le journal, a dit Alceste, il manque les copains pour faire les équipages fidèles.

Alors, moi, je lui ai expliqué qu'on ferait comme si, et que c'était mieux que nous ne soyons pas trop nombreux, sinon tout le monde voudrait être capitaine, et, au lieu de nous amuser gentiment sans faire de bruit, nous serions là à nous battre et ça réveillerait papa, qui ne serait pas content, et Alceste m'a dit que j'avais raison et dès qu'il finirait de manger sa deuxième tartine à la confiture, on pourrait commencer à jouer.

Quand Alceste a eu fini de manger ses tartines et la confiture qui était restée au fond de ses poches, je lui ai dit :

– Bon. Alors, moi, je serais habillé avec un chapeau noir qui fait des pointes, une grande veste, une grosse ceinture, j'aurais une épée et des bottes qui montent jusque-là. Et puis, j'aurais une grande barbe rouge, et toi tu serais habillé comme tu veux, mais tu aurais une épée aussi, tchaf, tchaf, tchaf, et tu essaierais de prendre mon bateau à l'abordage, et moi je crierais à mon fidèle équipage que « Ho hisse, garçons », et qu'ils carguent les voiles. On y va ?

Mais Alceste n'a pas bougé. Il a mis les mains dans ses poches comme s'il cherchait encore de la confiture, et il m'a demandé :

– Et pourquoi tu aurais une barbe rouge ?

– Ben, j'ai dit, parce que je serais Barbe-Rouge, le chef des pirates, voilà pourquoi.

– T'es pas un peu fou ? a dit Alceste. Pourquoi ce serait toi, Barbe-Rouge, et pas moi ?

– Toi, Barbe-Rouge ? j'ai dit, ne me fais pas rigoler ! Et je me suis mis à rigoler, et ça, ça ne lui pas plu, à Alceste, qui a dit que s'il n'était pas Barbe-Rouge, il ne jouerait pas aux pirates avec moi, et qu'il préférait ne plus jamais me parler de sa vie.

Ce que je n'aime pas chez les copains, c'est qu'ils ne savent pas jouer, c'est vrai quoi, à la fin !

– C'est mon jardin, ici, j'ai dit à Alceste, et Barbe-Rouge, c'est moi. Et si tu ne veux pas jouer, eh bien tant pis, je jouerai tout seul !

Et je me suis mis à crier : « Ho hisse, les garçons ! Carguez les voiles ! », et je courais autour de l'arbre en faisant semblant de m'amuser, pour montrer à Alceste qu'il est bête ! Il s'est mis à courir, lui aussi, et il se retournait pour crier :

– Ho hisse, fidèle équipage ! Moi, Barbe-Rouge, je vous conduis à l'abordage ! Carguez les voiles ! Tchaf, tchaf, tchaf !

– Ça vaut pas ! Ça vaut pas ! j'ai crié, t'es pas Barbe-Rouge, et t'as pas le droit de venir sur mon bateau !

– Ah non ? il a dit, Alceste, eh ben voilà ce que j'en fais de ton bateau !

Et Alceste a donné un grand coup de pied dans l'arbre, alors, moi, je lui ai donné une gifle et j'ai eu la main pleine de confiture. Alors, nous nous sommes battus et Alceste criait : « C'est pas toi qui as la barbe rouge ! C'est pas toi celui qui a la barbe rouge ! Celui qui a la barbe rouge, c'est moi ! » Il rigolait pas, Alceste. Depuis la dernière fois où quelqu'un a marché sur un de ses sandwiches, à la récré, je ne l'avais pas vu aussi fâché.

Et puis, papa est arrivé. Il n'était pas content, lui non plus.

– Voulez-vous arrêter immédiatement ? Garnements ! il a crié, papa. Alors, c'est comme ça que vous jouez gentiment ? On vous entend hurler dans tout le quartier. Qu'est-ce qui vous prend encore ?

– C'est de sa faute, a dit Alceste. Il a dit que celui qui a la barbe rouge, c'est lui, et c'est pas vrai !

– Parfaitement, c'est vrai, j'ai crié. C'est moi qui ai la barbe rouge !

– Tu profites parce que ton papa est là, a dit Alceste. Sinon, on verrait bien lequel des deux a la barbe rouge !

– Eh bien, si ça te plaît pas, j'ai dit, t'as qu'à partir de mon bateau, toi et ton sale équipage !

– Très bien, a dit Alceste, nous partons et nous ne viendrons plus jamais dans ton bateau minable !

Et Alceste a commencé à partir, et puis il est revenu, il a ramassé son ballon de football, et il a dit : « J'emporte mon canon, non mais sans blague ! », et il est sorti du jardin, et moi je lui ai crié que j'étais bien content, que jamais plus je ne le laisserais monter sur le *Faucon-Noir,* que son canon, je n'en avais pas besoin, et que nous étions fâchés pour toujours. Et puis, comme je n'avais plus personne avec qui jouer, je suis rentré dans la maison. Papa, lui, est resté longtemps près de l'arbre du jardin, en ouvrant des yeux tout ronds. Et après, il est venu dans la maison, et il a demandé à maman qu'elle lui donne des aspirines.

Je le trouve tout drôle, papa, ces derniers temps.

Comme me l'a dit Alceste le lendemain, quand je suis allé chez lui : « Les grandes personnes, elles sont difficiles à comprendre. »

Seul !

A LA MAISON, nous étions tous très embêtés ; nous devions partir demain matin chez mémé, qui habite très très loin, pour y passer trois jours, et tante Dorothée a téléphoné pour dire qu'elle était malade et qu'elle voulait que papa et maman aillent la voir. Tante Dorothée aussi habite très loin. De la famille, il n'y a que papa et maman et moi qui n'habitons pas loin.

– Qu'est-ce que nous allons faire ? a dit maman. Maman se faisait une telle fête de nous voir... Surtout Nicolas...

– Eh bien, a dit papa, tu n'as qu'à prévenir Dorothée que nous ne pourrons pas aller chez elle. Après tout, une grippe, ce n'est pas tellement grave. Parce qu'elle parle de pneumonie, mais je connais Dorothée, c'est une grippe.

– Mais nous ne pouvons pas faire ça, a dit maman. Moi aussi je connais Dorothée ; si nous n'y allons pas, ça va faire un drame. Et puis, elle est toute seule, la pauvre...

– Mais non, elle n'est pas seule ! a crié papa. Elle a des amies, Dorothée. D'ailleurs, entre nous, je me suis toujours demandé comment elle pouvait avoir des amies, avec son caractère !

– Ce n'est pas le moment de nous disputer au sujet de la famille, a dit maman. Le fait est que nous ne pouvons pas refuser d'aller chez Dorothée.

– Eh bien, allons chez Dorothée, a dit papa. Tu sais, moi, aller chez Dorothée ou chez ta mère...

– Oh, ça, je sais, a dit maman. Si ton frère Eugène t'appelait, tu irais, même s'il fallait que tu te traînes sur les genoux pendant des kilomètres ; mais la question n'est pas là... Qu'allons-nous faire de Nicolas ? Nous ne pouvons pas l'emmener chez Dorothée. D'abord, ce ne serait pas amusant pour lui, ensuite, tu sais comment est Dorothée, surtout quand elle est malade ; elle ne supporte pas le moindre bruit, et elle n'a aucune patience avec les enfants. Et nous ne pouvons pas laisser Nicolas à la maison tout seul... A qui le confier ? Ah, si tu ne t'étais pas fâché avec Blédurt... Peut-être que si j'allais lui demander...

– Demander un service à Blédurt ? a crié papa. Jamais de la vie ! C'est à lui de venir me demander pardon ! Sans blague !

Maman a fait un soupir, papa s'est frotté le menton, il m'a regardé, il a regardé maman, et puis il a dit :

– J'ai bien une idée, mais il faut que Nicolas soit d'accord.

– Quelle idée ? nous avons demandé, maman et moi.

– Eh bien voilà, a dit papa. Nicolas pourrait aller seul chez ta mère.

– Seul, a crié maman... Comment, seul ?

– C'est très simple, a expliqué papa. Demain matin, nous le mettons dans le train, je parle au contrôleur pour qu'il s'occupe de lui, et nous prévenons ta mère pour qu'elle aille le chercher à l'arrivée. Il n'y a pas à changer, c'est direct, et puis Nicolas est un grand garçon, n'est-ce pas, Nicolas ?

– Oh oui ! j'ai crié.

– Mais c'est de la folie ! a crié maman.

– Oh oui, dis, maman, oh oui, s'il te plaît ! j'ai crié.

– Non, non et non ! a dit maman.

– Alors je ne sais pas ce que nous allons faire, a dit papa.

– Oh oui, oh oui ! j'ai crié. Je veux aller seul chez mémé ! Je veux aller seul chez mémé !

Et puis je me suis mis à courir dans le salon, et je pensais que ce serait drôlement chouette de raconter aux copains de l'école que j'avais pris le train tout seul. Ils en feront une tête, tiens !

– Mais il est si petit, a dit maman.

– Non, je ne suis pas petit ! j'ai crié.

– Et puis, a dit papa, n'oublie pas qu'il a déjà voyagé sans nous quand il est allé en colonie de vacances.

– Il n'était pas seul, a dit maman. Il y avait des dizaines d'enfants et des moniteurs pour les surveiller... Et puis, comment allons-nous faire pour le retour ?

– Pour le retour, a dit papa, c'est très facile ; de chez Dorothée, nous irons en voiture chez ta mère chercher Nicolas, et nous reviendrons tous les trois ensemble à la maison.

– Chic ! Chic ! j'ai crié.

J'ai encore couru un coup autour de la petite table où il y a la lampe, et maman a dit que bon, qu'elle allait téléphoner à sa mère, et que si mémé était d'accord, alors, on verrait.

Quand maman a eu mémé au téléphone, elle lui a expliqué l'histoire de Dorothée, et puis elle lui a dit pour moi.

– C'est la seule solution, maman, a dit maman. Nous avons retourné la situation dans tous les sens, et... Mais oui, je sais bien qu'il est petit... Oui... Mais oui..., je sais... Ecoute, maman... Tu veux m'écouter ?... Bon. C'est ça, ou rien. Tu as peut-être raison, remarque, mais si tu n'es pas d'accord, nous ne pourrons pas venir, comme promis. Ni nous ni Nicolas...

Moi, j'étais drôlement impatient, et je faisais des tas de gestes avec les mains, et puis je courais autour de maman, et puis maman a dit :

– Bon. Oui, nous le mettrons dans le train de 8 heures 27... Mais oui, nous préviendrons le chef du train... C'est ça... Et nous viendrons le chercher dimanche... Je t'embrasse... Mais oui ! Mais oui !

Maman a raccroché le téléphone, elle m'a regardé, et elle a dit :

– Ta mémé est d'accord, Nicolas ; tu prendras le train tout seul.

Alors, j'ai eu drôlement peur.

Maman a dit qu'il fallait passer à table, parce que demain on allait se lever de bonne heure, et moi je n'avais pas faim du tout, et pendant le dîner, personne ne parlait, et puis après, papa m'a demandé :

– Tu n'as pas peur, au moins ?

Moi, j'ai fait non avec la tête.

– Mais bien sûr, a dit papa. Mon Nicolas est un homme ; un homme ça n'a pas peur. Et puis tu vas voir, tout va très bien se passer ; allons, au dodo, grand voyageur !

En sortant de table, je suis allé vers le téléphone, et maman m'a demandé :

– Qu'est-ce que tu fais, Nicolas ?

– Ben, j'ai dit, je vais téléphoner à Alceste pour lui raconter.

– Laisse ton copain Alceste tranquille, a dit papa en rigolant. Tu lui raconteras tes aventures au retour. Maintenant, va te coucher, parce que demain, tu as une journée fatigante qui t'attend !

Je suis allé me coucher, et j'étais très énervé, et puis j'avais une boule dans la gorge, parce que c'est vrai, partir seul, comme ça, c'est peut-être très bien, mais si on rate la gare où on doit descendre, ou si mémé n'est pas à la gare pour m'attendre, alors là, qu'est-ce que je vais faire, et je n'arrivais pas à m'endormir, et puis la lumière s'est allumée et maman était penchée sur moi, et elle me disait :

– Debout paresseux ! Il est tard. Dépêche-toi si tu ne veux pas rater ton train.

Dans l'auto, en allant à la gare, maman me donnait des tas de conseils ; elle me disait de bien faire attention de descendre à la gare où m'attendait mémé, de ne pas me promener dans les couloirs du train, de ne pas parler avec des inconnus, d'être très prudent en descendant du wagon, et de téléphoner chez Dorothée dès que je serais arrivé chez mémé.

– Mais laisse-le donc tranquille, a dit papa. Il se débrouillera très bien. Pas vrai, Nicolas ?

Moi, j'ai fait oui avec la tête.

A la gare, papa a acheté mon billet, et puis maman m'a fait choisir des illustrés pour lire dans le train. Moi, je serrais très fort la main de papa, et j'avais une boule terrible dans la gorge, et puis, je n'avais plus tellement envie d'aller chez mémé. Sur le quai, il y avait des tas de monde, et puis papa a vu le contrôleur, il est allé lui parler, et puis après, il est revenu avec lui.

– Le voilà, notre passager ? a demandé le contrôleur en rigolant. Eh bien, ne vous inquiétez pas, je m'occupe de lui, et il sera livré à destination sans dommage. Nous sommes habitués.

Le contrôleur m'a passé sa main dans les cheveux, et il s'est retourné pour expliquer à une dame que c'était bien le train de

8 heures 27, mais oui madame, qu'il en était sûr.

– Alors, c'est entendu, Nicolas ? m'a dit maman. N'oublie pas de descendre à la gare de mémé, ne te promène pas dans les couloirs du train, ne parle pas avec des inconnus, fais bien attention en descendant du wagon, et téléphone-nous chez tante Dorothée, dès que…

– Tu lui as déjà dit tout ça, a dit papa. Montons dans le train, maintenant.

Nous sommes montés dans le wagon, nous sommes arrivés devant un compartiment, et papa a dit que c'était ici, et que j'avais une place à côté de la fenêtre.

– Ce sera très bien, a dit papa. Comme ça, tu pourras regarder passer les vaches.

Papa a mis ma valise dans le filet, maman m'a donné les illustrés, le paquet avec le pain, le chocolat et la banane, elle m'a dit de faire attention de descendre à la gare de mémé, de ne pas parler avec des gens que je ne connaissais pas, d'être très prudent en descendant du wagon, et surtout, surtout, de ne pas oublier de téléphoner chez Dorothée dès que je serais arrivé.

– C'est l'heure, a dit papa. Bon voyage, mon lapin, mon grand garçon.

– Oh ! Ecoute, a dit maman. C'est de la folie. Si je parlais moi-même à Blédurt…

– Allons, allons, le train va partir ! a dit papa.

J'avais pas du tout envie de partir. Moi, ce que je voulais, c'était aller chez tante Dorothée avec papa et maman, et puis papa et maman m'ont embrassé des tas de fois, et puis maman m'a donné des tas de conseils que je n'ai pas entendus, et puis papa a pris maman par le bras, et puis ils sont sortis du compartiment, et puis je les ai vus sur le quai, et puis ils n'avaient pas l'air de rigoler, même papa qui avait pourtant un grand sourire sur la bouche, et puis le train a commencé à marcher, et moi j'avais

270

drôlement envie de pleurer.

Il y avait un tas de gens dans le compartiment, mais moi je n'osais pas les regarder, et j'avais la figure vers la fenêtre, et je serrais très fort les illustrés et le paquet avec le pain, le chocolat et la banane, et j'avais drôlement peur de m'endormir et de rater

la gare de mémé, et puis les gens dans le compartiment ne disaient rien et ils lisaient des journaux, et là où j'ai été drôlement content, c'est quand la porte s'est ouverte, et le contrôleur est entré pour prendre les billets, et il m'a dit :

– Alors, ça va comme tu veux, mon bonhomme ? Allons, t'en fais pas ; je viendrai te chercher au moment de descendre. D'accord ?

Et puis, c'est dommage, le contrôleur est parti, et j'avais peur qu'il oublie de venir me chercher. Les gens du compartiment me regardaient, et il y en avait plusieurs qui faisaient des sourires,

surtout une grosse dame, et moi j'ai regardé par la fenêtre, et il y avait des fabriques, et des fils de téléphone qui montaient et qui descendaient tout le temps, et je demanderai à mémé de me laisser téléphoner à Alceste après avoir appelé papa et maman chez tante Dorothée.

Il y a eu d'autres fabriques, et des gares, et des maisons, et des champs, et pendant que personne ne regardait, j'ai jeté sous la banquette le paquet, parce que je n'avais pas faim, et le papier était tout taché et j'avais plein de chocolat sur les mains. Je me suis essuyé avec un illustré, que j'ai jeté aussi sous la banquette, et je me demandais ce que j'allais faire si mémé ne m'attendait pas à la gare, et on a passé sur un pont qui faisait un drôle de bruit, et moi je le connais ce pont, et j'avais bien envie d'aller dans le couloir chercher le contrôleur pour lui dire de ne pas oublier de venir me prévenir que nous arrivions, et puis, chouette, le contrôleur est entré dans le compartiment, et puis il m'a dit :

– Nous y sommes presque, bonhomme ! Je vais descendre ta valise. Ne bouge pas.

Et puis, en tenant ma valise, le contrôleur m'a accompagné jusqu'à la porte du wagon, le train s'est mis à marcher doucement, nous sommes arrivés à la gare, et là, sur le quai, j'ai vu, oh ! que c'était chouette, mémé qui regardait et qui avait l'air inquiète comme tout.

– Mon lapin ! Mon chou ! Mon chéri ! Mon poussin ! criait mémé en m'embrassant. Comme j'étais inquiète ! Comme je suis fière de toi, mon grand garçon qui voyage tout seul. Ce que tu as dû avoir peur, mon pauvre petit bout de sucre !

– Ben non, j'ai dit.

Et puis nous sommes sortis de la gare, mémé m'a donné la main, et je l'ai aidée à traverser la rue.

La neige

C'ÉTAIT L'HEURE D'ARITHMÉTIQUE, cet après-midi, à l'école, et la maîtresse était en train d'écrire un problème sur le tableau. Quand la maîtresse nous tourne le dos, comme ça, nous on en profite pour parler, pour se passer des petits papiers ou pour faire des grimaces. Et la maîtresse, sans se retourner, elle donne des petits coups avec la craie contre le tableau, en nous disant d'être sages ; mais il faut faire attention, parce que des fois, quand on ne s'y attend pas, elle se retourne d'un coup et celui qu'elle voit en train de faire le guignol, bing ! elle le met en retenue.

On était là, tous occupés à se faire des signes, à écrire des papiers ou à jouer aux autos avec nos plumiers, sauf Clotaire qui dormait et Agnan qui copiait le problème sur son cahier, quand Rufus, qui est assis à côté de la fenêtre, nous a dit tout bas :

– Il neige ! Hé, les gars, il neige ! Faites passer.

– Un peu de silence ! a dit la maîtresse, en tapant avec la craie sur le tableau.

– Hé, Alceste ! Regarde ! Il neige ! j'ai soufflé à Alceste, qui a prévenu Maixent, qui a fait des signes à Joachim, qui a donné un coup de coude à Geoffroy, qui a prévenu Eudes, qui a réveillé Clotaire, qui s'est levé pour aller au tableau parce qu'il croyait qu'on l'interrogeait.

Et la maîtresse s'est retournée d'un coup.

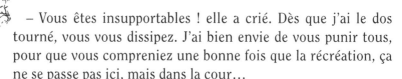

– Vous êtes insupportables ! elle a crié. Dès que j'ai le dos tourné, vous vous dissipez. J'ai bien envie de vous punir tous, pour que vous compreniez une bonne fois que la récréation, ça ne se passe pas ici, mais dans la cour...

Et puis, la maîtresse, qui montrait la fenêtre avec sa craie, a ouvert de grands yeux, et elle a dit :

– Oh ! Il neige !

Alors, nous nous sommes tous levés et nous sommes allés à la fenêtre pour regarder neiger. C'était la première fois qu'il neigeait cette année, et moi, la neige, je trouve ça très chouette ; c'est beaucoup plus rigolo que la pluie, surtout pour faire des boules et des batailles.

– Bon, les enfants, a dit la maîtresse. Ne vous dissipez pas, retournez à vos places, soyez sages, recopiez ce problème et apportez-moi la solution.

– Moi, je l'ai déjà recopié, Mademoiselle ! a crié Agnan, qui ne s'est pas levé pour voir tomber la neige.

Il est fou, Agnan.

Quand nous sommes sortis de l'école, c'était formidable ! Il ne neigeait plus, mais tout était blanc : la rue, les toits, les arbres et les autos.

– On dirait du sucre ! a dit Alceste, et il s'est mis un gros tas de neige dans la bouche.

– Allez-y les gars ! On y va ! a crié Eudes.

Et il s'est baissé, il a ramassé de la neige, il en a fait une boule, et bing ! il l'a jetée sur Geoffroy. Alors, on a tous fait des boules et on a commencé une bataille terrible.

– Attention ! Mes lunettes ! Mes lunettes ! a crié Agnan, qui avait reçu en plein sur le cartable la boule qu'Eudes avait jetée sur Geoffroy ; et il est parti en courant.

Nous, on a continué à jouer, et bien sûr, nos parents n'aiment pas qu'on joue dans la rue ; mais devant l'école ce n'est pas dangereux, parce que les autos font très attention et elles s'arrêtent pour nous laisser passer ; surtout qu'il y a un agent de police, qui est très gentil et qui est un ami du papa de Rufus, qui est un agent de police lui aussi.

– Hé, les gars ! Hé, les gars ! a crié Clotaire. Si on faisait un bonhomme de neige, comme dans les images ?

– Il n'y a pas assez de neige, imbécile ! a crié Maixent.

– Oui, il y en a assez, et je ne suis pas un imbécile ! a crié Clotaire ; mais il n'a pas pu continuer, parce qu'il a reçu une grosse boule de neige en pleine figure, et c'est Joachim qui la lui a envoyée, parce qu'il lance moins fort qu'Eudes, mais il vise mieux.

Après, pendant que Clotaire courait après Joachim et lui jetait de la neige sans même prendre le temps d'en faire des boules, Eudes m'a mis de la neige dans le cou, et c'est drôlement froid. Alceste et Geoffroy étaient l'un en face de l'autre, au milieu de la rue, et ils se jetaient des boules à la figure, et ils étaient rigolos parce qu'ils se baissaient tout le temps ensemble, très vite pour ramasser la neige. Moi, j'avais mis plein de neige dans mes poches pour courir après Eudes, quand un monsieur qui était arrêté avec son auto a dit à l'agent de police :

– Dites, c'est pas un peu fini, cette plaisanterie ? Je suis pressé, moi !

– Allez, les enfants, nous a dit l'agent de police. Rentrez chez vous, il se fait tard. Rufus, tu diras à ton père que c'est d'accord pour la belote.

Alors, nous sommes partis, et l'agent a dit au monsieur de l'auto de se ranger contre le trottoir, parce qu'il voulait lui demander des tas de choses sur ses papiers.

On a couru sur les trottoirs et on a continué à se jeter de la neige, et puis je suis arrivé à la maison, je suis entré en courant et j'ai crié :

– Maman, t'as vu ? Il neige !

Maman est sortie de la cuisine en s'essuyant les mains, et quand elle m'a vu, elle s'est mise à pousser des tas de cris.

– Nicolas ! Dans quel état tu t'es mis ! Mais tu es trempé ! elle a dit. Tu vas encore me faire une bronchite ! Veux-tu aller te changer tout de suite !

– Mais, maman, j'ai dit, c'est pas la peine de me changer, puisque je vais encore jouer dans le jardin, et je vais faire un bonhomme de neige, et c'est très chouette, chouette comme tout !

Mais maman n'a rien voulu savoir. Elle m'a dit qu'elle n'était pas contente parce que j'étais arrivé en retard à la maison, et puis que dehors, il faisait noir, et qu'il faisait froid, et que j'avais des devoirs à faire et que ça lui ferait plaisir que je sois obéissant pour une fois, et que cet enfant la ferait mourir.

J'ai essayé de pleurer un coup, mais maman m'a fait les gros yeux et elle m'a dit d'aller faire mes devoirs. Alors, je suis monté dans ma chambre, je me suis changé, et puis j'ai commencé à faire mon problème. Je me suis dépêché et j'ai fini très vite, j'étais un peu étonné qu'un train puisse faire 327 432,26 kilomètres à l'heure, mais dans les problèmes ils disent n'importe quoi, et puis je suis descendu en courant dans la cuisine.

– Ça y est maman ! j'ai crié. J'ai fini mes devoirs. Je peux sortir faire mon bonhomme de neige, maintenant ?

– Mais tu deviens fou, Nicolas ! a crié maman. Tu ne vas certainement pas sortir par ce froid ! D'ailleurs voilà ton père, et nous allons bientôt passer à table.

– Qu'est-ce qu'il y a encore ? a demandé papa.

– Il y a, a dit maman, que ton fils veut sortir jouer dans le jardin.

– Par ce sale temps ? a dit papa. Mais il devient fou, ton fils ?

– Ce n'est pas un sale temps ! j'ai crié. C'est un temps chouette comme tout ; il y a de la neige et je veux aller y jouer. Et puis je ne suis pas fou !

Papa et maman se sont mis à rigoler. Papa m'a caressé la tête, et il m'a dit :

– Il est vrai que pour les petits garçons, la neige c'est formidable. Moi aussi, j'aimais ça, quand j'avais ton âge. Mais maman a raison, ce n'est pas l'heure d'aller jouer dehors. Alors, tu sais ce qu'on va faire ? Demain matin, avant que tu partes à l'école et que j'aille à mon travail, nous allons faire une bonne bataille de boules de neige dans le jardin.

– C'est promis, promis ? j'ai demandé.

– C'est promis, promis ! a dit papa.

– Promis, promis, promis, a dit maman.

On a tous rigolé et nous sommes allés dîner.

Mais, le matin quand je me suis réveillé, j'ai regardé par la fenêtre, et il n'y avait plus de neige. Plus de neige du tout. Rien que de la boue. Alors là, c'était drôlement pas juste ! C'est toujours la même chose ; on promet de la neige pour que je sois sage, et puis après, il n'y en a pas !

Quand je suis entré dans la salle à manger, papa et maman ont cessé de parler, ils m'ont regardé et ils avaient l'air drôlement embêtés. Papa a dit qu'il était en retard et qu'il fallait qu'il parte tout de suite.

Et à midi, maman avait fait un gâteau au chocolat pour le dessert, et papa m'a apporté une chouette auto électrique qui marchait toute seule.

On tourne !

Nous ÉTIONS DANS LE JARDIN, papa et moi, en train de ramasser les feuilles qui étaient tombées de notre arbre. Papa me disait comment il fallait faire, et moi je les ramassais, quand M. Blédurt est venu avec Mme Blédurt et une caméra. M. Blédurt, c'est notre voisin ; Mme Blédurt, c'est sa femme, et la caméra, M. Blédurt nous a dit qu'il venait de l'acheter.

– C'est pas toi qui te paierais une caméra comme ça, hein ? a dit M. Blédurt à papa.

– Si j'en avais envie, je me la paierais, a répondu papa, mais moi, je m'en achèterais une de bonne qualité.

– Tu veux que je te l'envoie en travers de la figure, pour voir si elle est de bonne qualité, ma caméra à trois objectifs ? a demandé M. Blédurt.

– Si vous commencez à vous disputer, je m'en vais, a dit Mme Blédurt.

Et elle est partie.

– Qu'est-ce qui lui prend ? a demandé papa.

– T'occupe pas, a dit M. Blédurt. Nous, on va faire un film avec ma caméra.

– Oh oui, j'ai dit.

C'était une chouette idée, et moi j'aime bien le cinéma.

– Bon, a dit M. Blédurt, ce qu'il faut, c'est qu'on fasse un film comique, vraiment rigolo. Quelque chose de spirituel.

Alors moi, je suis allé dans ma chambre pour chercher le petit chapeau pointu en carton et le nez avec les moustaches et les lunettes, que j'avais gardés de l'anniversaire de Clotaire. Quand je suis revenu dans le jardin, M. Blédurt m'a dit que j'étais très bien déguisé, il a mis un genou par terre, sa caméra devant la figure, et il m'a dit de venir vers lui. On a tous bien rigolé.

– Maintenant, a dit papa, enlève ton nez et fais ta grimace, tu sais, celle avec les joues gonflées.

Alors moi, j'ai fait ma grimace avec les joues gonflées, et puis celle où je me tire les coins de la bouche avec les doigts et je sors la langue. M. Blédurt et papa étaient très contents ; il faut dire que je suis très fort pour les grimaces et j'aime bien quand on me les laisse faire, parce qu'à l'école, par exemple, on ne me laisse pas toujours, surtout en classe.

– Du tonnerre ! a dit M. Blédurt à papa ; maintenant, c'est à ton tour.

– Bon, a dit papa ; alors moi, si tu veux, je vais sortir la voiture du garage et tu me prendras au volant, comme si j'étais en train de conduire.

– Ça ne sera pas rigolo, ça, a dit M. Blédurt. Retrousse tes pantalons.

Papa a regardé M. Blédurt, et puis il s'est tapé le côté de la tête avec un doigt.

– T'es pas un peu fou, non ? il a demandé, papa.

– Et pourquoi je serais un peu fou ? a dit M. Blédurt.

– Tu ne crois tout de même pas, a dit papa, que je vais faire le guignol dans ton film minable ?

– Oh ! Je comprends, a dit M. Blédurt. Monsieur veut être avantagé, Monsieur veut peut-être son maquilleur ? Monsieur désire sans doute m'indiquer son bon profil ? Monsieur est Jean Marais, peut-être ?

– Je ne sais pas si Monsieur est Jean Marais, a dit papa, mais si tu continues, Monsieur va te flanquer sa main sur ta grosse figure !

– Que Monsieur essaie ! a dit M. Blédurt.

Et ils allaient commencer à se pousser l'un l'autre, comme ils font souvent pour s'amuser, mais là j'étais embêté, moi : je préférais qu'on continue à faire du cinéma.

– Oh ! Oui, papa, j'ai dit. Retrousse tes pantalons, tu seras rigolo comme tous les comiques qu'on voit au cinéma, dis, papa !

Papa a lâché la chemise de M. Blédurt, il a pensé un peu et puis il a dit qu'il avait, en effet, un certain talent comique et que s'il ne s'était pas marié, il aurait certainement fait une belle carrière de comédien, que déjà, très jeune, il remportait de grands succès sur la scène du patronage Chantecler.

Et puis, papa a retroussé ses pantalons jusqu'au-dessus des genoux et il s'est mis à marcher avec les pieds écartés vers M. Blédurt. Moi, je rigolais tellement qu'il a fallu que je m'assoie dans l'herbe. M. Blédurt riait beaucoup aussi.

– Attends, a dit papa. Nicolas, passe-moi le chapeau en carton et le nez avec les moustaches et les lunettes.

Moi, c'est bien simple : j'en avais mal au ventre ! Il est terrible, papa.

– Et maintenant, a dit M. Blédurt, si Nicolas se mettait avec toi ?

Papa a dit que c'était une bonne idée ; alors je suis venu près de papa, et papa m'a dit que nous allions loucher et faire des tas de grimaces.

– Fantastique ! a crié M. Blédurt, je n'ai jamais vu quelque chose d'aussi grotesque !

– Chéri, tu ne crois pas que vous seriez mieux à l'intérieur de la maison pour faire ces clowneries absurdes ?

Nous avons cessé de loucher et nous avons vu que c'était maman qui avait parlé. Maman qui rentrait de faire des courses et qui n'avait pas l'air tellement contente.

– Je vous fais remarquer que tous les voisins vous regardent de leurs fenêtres, a encore dit maman. Si ça vous amuse, bravo, mais moi, je ne tiens pas à être ridiculisée.

M. Blédurt, ça l'a beaucoup fait rigoler, ce qu'avait dit maman, mais papa est devenu tout rouge, il a déroulé les jambes de son pantalon, il a enlevé le chapeau pointu en carton et le nez avec les moustaches et les lunettes, et il m'a dit de lâcher ma bouche et de cesser de faire des grimaces. Maman est entrée dans la maison en faisant un gros soupir.

– Bon, a dit papa. Maintenant, je vais te prendre, toi, Blédurt. Il faut que tu sois dans le film, toi aussi.

– Bien sûr, a dit M. Blédurt.

Il a donné la caméra à papa, il est allé vers la haie, il s'est accoudé, il a mis une main dans la poche de son pantalon, il a tourné un peu la tête, il a fait un petit sourire, et il a dit à papa :

– Vas-y.

– Vas-y quoi ? a demandé papa. Il faut que tu fasses quelque chose de drôle. Tiens, pourquoi tu ne mettrais pas ta veste à l'envers et tu marcherais vers moi avec les pieds en dedans ?

– Jamais de la vie ! a dit M. Blédurt. Je suis comme ta femme, moi, je n'ai pas envie de me ridiculiser.

– Elle est forte, celle-là ! a crié papa. Puisque c'est comme ça, tu peux aller te rhabiller, je ne te prends pas en film !

– Eh bien ! Dans ce cas, a dit M. Blédurt, je ne te laisserai jamais voir le film. Mauvais joueur !

Alors moi, je me suis mis à pleurer et j'ai dit que c'était pas juste à la fin, que je voulais voir le film, et papa a dit :

– Bon, bon, bon, ne pleure plus, on va le filmer, ce sale égoïste.

Et papa a filmé M. Blédurt, qui gardait toujours la tête tournée du même côté, avec le même petit sourire.

Eh bien ! Le film, on ne l'a pas vu. M. Blédurt a dit à papa que la caméra avait un défaut et que la prise de vues était ratée. Mais plus tard, j'ai entendu Mme Blédurt dire à maman qu'elle avait vu le film, qu'il était très rigolo, mais que M. Blédurt n'était pas content du tout, parce qu'il s'était trouvé trop gros.

Et il paraît qu'il est même question que M. Blédurt se fasse arranger le nez.

Chapitre V
Une surprise pour mémé

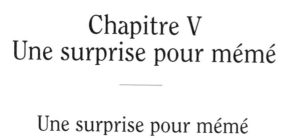

Une surprise
pour mémé

Aujourd'hui, je devais partir avec maman pour passer quelques jours chez la maman de ma maman. J'étais drôlement content, j'aime bien ma grand-mère et puis elle me donne tellement de bonbons et de gâteaux qu'après je suis toujours malade. C'est chouette !

Papa ne pouvait pas venir avec nous, il a trop de travail. Moi je crois que ça ne lui disait pas trop d'aller chez grand-mère. Il faut dire que grand-mère le gronde souvent, elle lui dit qu'il n'a pas bon caractère et que maman a beaucoup de patience avec lui. Papa, il n'aime pas beaucoup qu'on lui dise des choses comme ça.

Papa nous a emmenés à la gare prendre le rapide qui devait nous conduire chez grand-mère. C'est très loin, chez grand-mère, il faut des heures et des heures par le train, c'est pour ça que maman emmène toujours des œufs durs et des bananes pour le voyage. Une fois, nous avions emmené un camembert, mais ça a fait des histoires avec les autres gens qui étaient dans le compartiment et qui se trouvaient mal. C'est pourtant bon le camembert !

Dans l'auto, papa nous faisait des tas de recommandations, il nous disait de ne pas perdre les billets, de faire attention aux valises et aussi il voulait que je sois gentil avec maman et même avec ma grand-mère.

A la gare, papa a pris les deux valises et nous l'avons suivi.

Devant l'entrée du quai, papa a demandé à maman de sortir les billets, mais maman ne les avait pas. « Allons bon ! a dit papa, c'est toujours la même chose, c'est incroyable. » Alors moi, j'ai rappelé à papa que c'était lui qui avait les billets. Papa m'a regardé, et puis il s'est souvenu que c'était bien lui qui les avait gardés, les billets, pour que maman ne les perde pas. Alors il a commencé à chercher dans son portefeuille et dans ses poches et il ne les a pas trouvés, les billets.

« Attendez-moi là avec les valises, a dit papa, je vais chercher les billets dans l'auto, ils y sont sûrement ! » Et puis il est parti. Maman et moi, on s'est mis à attendre papa, mais il ne revenait pas. Maman s'énervait un peu, parce que l'heure du départ approchait et c'était le seul rapide de la journée pour aller chez grand-mère. « Va chercher papa, m'a dit maman, et dis-lui de se dépêcher, et, surtout, ne te perds pas dans la foule ! » Alors, maman est restée avec les valises, les œufs durs et les bananes et moi je suis parti en courant pour chercher papa. Je ne me suis pas perdu dans la foule, mais je me suis un peu arrêté devant le magasin où on vendait des illustrés. Il y en avait des tas. J'ai regardé toutes les couvertures pour voir les revues que j'aurais achetées si j'avais eu des sous sur moi et je serais resté encore longtemps, si, heureusement, la dame du magasin ne s'était pas fâchée parce que j'avais décroché des illustrés et que je les feuilletais.

Je suis reparti, mais j'avais passé trop de temps devant les illustrés, parce que papa n'était plus dans l'auto. J'ai regardé de tous les côtés et un agent de police s'est approché et il m'a demandé si j'avais perdu quelque chose. Je lui ai répondu que je cherchais mon papa. « Ça doit être le monsieur furieux qui a tout bousculé dans l'auto, m'a dit l'agent, et qui ensuite a crié : Euh ! Je les avais dans la main, les billets ! » J'ai dit à l'agent que c'était sûrement papa. L'agent m'a raconté que papa était parti en courant vers la gare.

Je suis revenu là où j'avais laissé maman et j'ai trouvé papa avec les valises. « Ah, te voilà ! a crié papa. On se demandait où tu étais passé ! Ta mère est partie te chercher ! » Alors, on a attendu maman qui ne revenait pas. Je n'ai pas osé dire à papa qu'on pourrait aller voir du côté du magasin aux illustrés. « Si tu veux, j'ai dit à papa, je vais rester ici avec les valises et toi tu iras chercher maman. » Mais papa n'était pas d'accord. Il a dit que ça pouvait durer longtemps ce manège et que dans la foule on finirait par se perdre pour de bon et que c'était une chance pour nous qu'il soit là, parce que nous étions des têtes en l'air. Comme il ne semblait pas content du tout, papa, je n'ai rien dit. Et puis on a vu maman qui arrivait vers nous. « Viens, Nicolas ! » a dit papa en prenant les valises. « Alors, a dit une voix, on ne se gêne plus ? On vole les valises au nez et à la barbe des gens ? » Papa s'est retourné et il a vu un gros monsieur avec une grosse moustache, qui le regardait avec des gros yeux. Papa a vu aussi qu'il s'était trompé de valise et qu'il en avait pris une qui devait appartenir au gros monsieur. « Excusez-moi, a dit papa en déposant la valise, une erreur. » Et puis il a ri. Mais le gros monsieur n'a pas ri : « On dit ça » il a dit.

– Vous ne croyez tout de même pas que je voulais vous la voler, votre sale valise ? a dit papa.

– Ma sale valise, je vais vous l'envoyer sur la figure, a répondu le monsieur.

– Ah oui ? Ah oui ? Ah oui ? il a demandé, papa.

Mais maman est arrivée et elle a dit à papa que ce n'était pas le moment de faire la conversation avec des amis, que le train allait bientôt partir. Le gros monsieur a pris sa valise et il est parti de son côté en disant des tas de choses dans sa grosse moustache.

Après que papa ait montré les billets, nous sommes entrés sur le quai, et là, maman s'est aperçue que papa n'avait plus qu'une seule valise au lieu de deux. « Je vais la chercher, j'ai dit à papa,

tu l'as laissée au moment où tu parlais avec le gros monsieur. »
Je suis sorti du quai en courant, mais je n'ai plus trouvé la valise.
C'est dommage, c'était celle où il y avait les œufs durs et les bananes.

J'étais en train de regarder partout, quand papa est venu me
chercher. Il m'a pris par la main et il n'était pas content. « Je te
défends de partir comme ça, il m'a dit. Tant pis pour la valise, tu
vas finir par rater le train ! » Nous sommes revenus devant l'entrée du quai. L'employé nous a demandé les billets. Papa a montré mon billet, mais quand nous allions entrer, l'employé a arrêté
papa en lui mettant la main sur la poitrine. « Votre billet » il a dit.

– J'avais un ticket de quai, a expliqué papa, je vous l'ai donné et vous l'avez gardé.

– Nous gardons toujours les tickets de quai, a dit l'employé, c'est le règlement, mais je ne me souviens pas d'avoir gardé le vôtre, d'ailleurs, vous ne pouvez pas entrer sans ticket de quai, c'est le règlement !

J'ai proposé à papa d'aller le lui chercher, son ticket de quai, s'il me donnait des sous pour l'acheter, mais papa m'a dit d'entrer sur le quai rejoindre maman et de l'attendre là sans bouger. Et il ne rigolait pas !

Nous avons attendu avec maman à côté du train. « Mais qu'est-ce qu'il fait, disait maman, mais qu'est-ce qu'il fait ? » Enfin, papa est arrivé essoufflé. « C'est quelque chose de vous faire voyager, a dit papa. Qu'est-ce que vous feriez si je n'étais pas là ? »

Nous sommes montés dans le train. Il y avait un tas de monde. Papa est monté avec nous pour nous trouver des places et installer la valise qui nous restait, celle où il n'y avait pas les œufs durs et les bananes. Moi, je courais dans le couloir devant papa et je regardais dans les compartiments. J'ai enfin trouvé et j'ai dit à papa : « Là, il y a deux places ! » Papa a hésité parce que dans le compartiment il y avait le gros monsieur avec la grosse moustache. Papa est tout de même entré dans le compartiment et pendant qu'il essayait de mettre la valise dans le filet, j'ai demandé à maman comment on allait faire pour manger, puisqu'on avait perdu les œufs durs et les bananes. Maman a dit que j'avais raison et elle a décidé de descendre sur le quai pour acheter des sandwiches.

Je suis resté dans le couloir à attendre maman, pendant que papa rangeait les choses qui étaient tombées sur le gros monsieur quand la valise s'est ouverte. Et puis, je me suis demandé si maman penserait à m'acheter des sandwiches au saucisson, j'aime mieux ça que le jambon, c'est plus amusant à manger à cause des petites peaux.

Je me suis dit que maman risquait de ne pas y penser, alors je suis descendu du train et j'ai trouvé maman devant une carriole où on vendait des choses à manger et à boire. J'ai bien fait de descendre, parce que maman avait acheté des sandwiches au jambon et au fromage et pas de saucisson du tout. J'ai dit à maman de changer les sandwiches et maman a demandé au marchand si c'était possible. Le marchand n'était pas très gentil. Il a dit qu'il ne savait même pas s'il pourrait changer le billet de dix mille francs que maman lui avait donné pour payer les quatre sandwiches et qu'il se faisait tard. Alors maman lui a dit qu'il devait servir les clients et leur changer tout ce qu'ils voulaient et puis le train est parti.

Du quai, nous avons vu papa qui avait sorti la tête par la fenê-tre du compartiment. Il criait des choses, mais le train allait trop vite pour que nous puissions l'entendre. A côté de papa, il y avait le gros monsieur à la grosse moustache qui riait. C'est grand-mère qui sera surprise de voir papa !

Les invités

Moi, j'aime bien quand mon papa et ma maman ont des invités le soir après le dîner. D'abord, parce que comme ça, ils ne sortent pas de la maison, et puis aussi, parce que le lendemain matin, il reste des gâteaux, mais pas souvent ceux au chocolat.

Ce qui me plaît moins, c'est que quand il y a des invités, on me fait coucher de bonne heure, et ce soir, ça n'a pas raté.

– Au lit, m'a dit maman, et sois sage.

– Parce que sinon, a dit papa, tu auras affaire à moi.

Je ne sais pas ce qu'ils ont, papa et maman, moi je suis toujours très sage.

Quand je me suis couché, maman m'a embrassé et elle m'a dit de faire un gros dodo et de ne me lever sous aucun prétexte, alors moi, comme je fais toujours, j'ai demandé si je pouvais lire, et maman a dit bon, jusqu'à ce que les invités arrivent. J'ai pris le livre, celui-là où il y a des tas d'Indiens avec des haches, des plumes et qui vivent dans des tentes comme sur la plage en été, ça doit être drôlement chouette. Et puis, j'ai entendu qu'on a sonné à la porte, et en bas, tout le monde s'est mis à crier et à rigoler, et puis maman est entrée dans ma chambre et elle était avec Mme Laflamme. Mme Laflamme, c'est une grosse, avec elle, je crois que les gâteaux pour demain matin, c'est fichu, mais elle est drôlement gentille.

– Oh ! elle a dit, Mme Laflamme, comme si elle était tout étonnée de me trouver là, mais c'est Nicolas ! Comme il est mignon,
on en mangerait !

Et Mme Laflamme s'est baissée sur moi et elle m'a embrassé
des tas de fois, et moi j'aime pas trop ça.

– Et maintenant, a dit maman, Nicolas va faire un gros dodo,
il ne va pas se lever ni faire du bruit, n'est-ce pas ?

Moi, j'ai dit que oui, alors Mme Laflamme m'a encore
embrassé un coup, elle a dit que j'étais trop gentil, un vrai poulet, et puis elle est partie avec maman.

Ce qui est embêtant, c'est qu'avec la porte et la fenêtre fermées, il faisait drôlement chaud dans ma chambre. Alors, j'ai
appelé : « Maman ! Maman ! Maman ! » Comme ça jusqu'à ce que
maman vienne. Et maman est venue, pas trop contente et quand

je lui ai demandé d'ouvrir la fenêtre, elle a fait les gros yeux et elle m'a demandé si je n'aurais pas pu l'ouvrir moi-même. J'ai dit que oui, mais qu'on m'avait défendu de me lever.

– Nicolas, m'a dit maman, si tu m'appelles encore une fois, c'est papa qui viendra, et il ne sera pas content ! Que je ne t'entende plus. Fais dodo !

Maman a ouvert la fenêtre, elle est sortie et j'ai eu soif.

Quand j'ai soif la nuit, c'est terrible et je pense à des tas de choses qui se boivent. En général, j'appelle papa, et il vient assez vite, sauf quand il dort. Maintenant, il est habitué et quand je l'appelle, il arrive déjà avec un verre d'eau à la main. Mais là, après ce que m'avait dit maman, j'ai pensé qu'il valait mieux ne pas appeler et aller à la cuisine moi-même, sans déranger personne.

J'ai descendu l'escalier, je suis passé dans le salon où ils étaient en train de jouer aux cartes et je suis allé dans la cuisine où j'ai trouvé maman. « Nicolas ! elle a crié maman, qu'est-ce que tu fais ici ? » Elle a crié tellement fort, maman, qu'elle m'a fait peur et je me suis mis à pleurer. « Et pieds nus par-dessus le marché ! a dit maman.

Cet enfant va encore me faire une angine ! » Mme Laflamme est venue en courant. « Mais, c'est Nicolas ! », elle a dit et elle m'a pris dans ses bras, elle m'a demandé si j'avais un gros gros chagrin, je lui ai dit que non, que j'avais soif et elle m'a embrassé. Maman m'a donné un verre d'eau et je l'ai bu en regardant les gâteaux qui étaient sur la glacière.

– Tu aimes les gâteaux, mon chou ? a demandé Mme Laflamme.

– Oh oui, madame, j'ai dit, surtout le gros, là, avec le chocolat et la crème.

Mme Laflamme s'est mise à rigoler, elle a dit que nous avions les mêmes goûts et elle a demandé à maman si je pouvais l'avoir, ce gâteau.

– Non, a dit maman, quand il mange à cette heure-ci, il a des cauchemars.

– Allons, ce soir ce sera différent, pas vrai Nicolas ? a dit Mme Laflamme.

Moi j'ai dit que bien sûr et maman allait dire quelque chose, mais papa a crié du salon : « Alors, qu'est-ce que vous faites ? On joue ou on ne joue pas ? »

– On arrive ! a crié maman qui m'a dit de prendre le gâteau et de monter me coucher.

Dans ma chambre, j'ai mangé mon gâteau, qui était très chouette, moi j'aime bien manger avant et après les repas, je suis allé me laver les mains, parce que j'avais du chocolat et de la crème partout, et puis je suis retourné me coucher ; mais, comme je ne me rappelais plus si j'avais bien fermé le robinet, je me suis levé de nouveau, j'ai vu que je l'avais bien fermé et en revenant, dans le couloir, j'ai rencontré M. Laflamme, qui est le mari de Mme Laflamme. « Mais, c'est Nicolas ! », il a fait. Youplà ! Il m'a pris dans ses bras et il m'a emmené dans le salon.

– Devinez ce que je vous amène ? a dit M. Laflamme.

Papa et maman se sont levés ensemble, d'un seul coup.

– Nicolas ! a dit papa, tout fâché, où l'avez-vous trouvé ?

– Mais, mais, euh, a dit M. Laflamme, là, dans la maison.

– Qu'il est chou, ce poussin, a dit Mme Laflamme, moi je sais ce qu'il veut, il veut encore un gâteau, pas vrai ?

Et elle m'a donné un gâteau rose avec de la crème dedans, très bon.

Papa m'a pris des bras de M. Laflamme. « Au lit ! », il a dit papa. Et il ne rigolait pas.

Les Indiens couraient après moi sur la plage et là ils voulaient me faire du mal avec leurs haches, surtout un gros plein de plumes qui me secouait et moi je pleurais et je criais et je me suis réveillé et j'ai vu papa qui était en pyjama. « Bien sûr, avec tous les gâteaux que tu as ingurgités, ça devait arriver », il a dit papa, et moi je lui ai demandé si je pouvais aller coucher avec lui et maman parce que j'avais peur des Indiens. Eh bien, vous savez, c'est bête, mais même dans le lit de papa et maman, j'ai encore eu peur, c'est seulement après que j'ai été malade que j'ai pu dormir.

Moi, je suis d'accord avec maman, quand elle dit que c'est tout un travail de recevoir chez soi. Le lendemain, à la maison, tous les trois, on était drôlement fatigués !

Le vitrier

Juste quand le Bouillon, notre surveillant, a sonné la fin de la récré, la balle est passée au-dessus du but, et bing ! elle a traversé la fenêtre. Et là où il y avait le carreau, on a vu sortir la tête toute rouge et fâchée du directeur.

Pourtant, je leur avais bien dit, aux copains, de ne pas mettre le but devant la fenêtre du bureau du directeur ! Si on l'avait mis devant la fenêtre de l'infirmerie, par exemple, ça aurait sûrement fait moins d'histoires.

– M. Dubon ! a crié le directeur de sa fenêtre, mettez ces élèves en rang. Je descends tout de suite !

Toutes les autres classes sont parties et nous sommes restés seuls dans la cour quand le directeur est arrivé. C'est drôle, il se frottait les mains comme s'il avait l'air content ; il avait mis ses sourcils tout près de ses yeux, mais il avait un grand sourire sur la bouche.

– Ah ! M. Dubon, a dit le directeur, pouvez-vous me désigner l'élève, le petit vandale, qui a envoyé cette balle à travers mon carreau ?

– C'est-à-dire, M. le directeur, a dit le Bouillon, c'est le surnom rigolo que nous avons donné à M. Dubon, j'étais en train de surveiller les grands, et…

– Ça ne fait rien ! M. Dubon, ça ne fait rien ! a dit le directeur.

Je vais faire une petite enquête et je vous promets bien que je trouverai le coupable. Et rapidement encore !

— C'est moi qui ai envoyé la balle, M'sieur, a dit Geoffroy.

— Ah !... a dit le directeur, qui a eu l'air un peu déçu.

Moi aussi, ça m'aurait bien plu de le voir faire son enquête, au directeur, comme le détective, dans la télévision de Clotaire, qui trouve toujours ! Et l'autre soir, moi, je n'aurais jamais deviné que c'était le patron du café qui avait fait le coup. Quand je serai grand, je ferai détective, si je réussis pas à faire pilote d'avion.

— Ben oui, a dit Geoffroy, j'avais dribblé tout le monde et j'ai shooté d'un angle très fermé.

— Tu me fais rigoler, a dit Clotaire. C'est moi qui ai shooté ! Je t'ai enlevé la balle et tu ne l'as même pas vue !

— Pardon ! Pardon ! a dit Joachim, c'est Maixent qui avait pris la balle et qui m'a fait une passe longue. J'ai fait un shoot de trente mètres !

— Trente mètres ! j'ai dit. T'es pas un peu fou ? Et puis, je t'ai vu, tu étais en train de demander un morceau de sandwich à Alceste quand le but a été marqué !

— Toi, Nicolas, a dit Rufus, tu n'as pas le droit de parler ! Tu étais hors jeu et j'avais sifflé, alors !

— Tu veux une claque ? j'ai demandé à Rufus.

— Silence ! a dit le directeur.

— Et puis d'abord, la balle est à moi, a crié Geoffroy, et c'est moi qui ai mis le but à Eudes !

— Le but ! Le but ! a crié Eudes. Quel but ? La balle est passée au-dessus de la barre transversale, imbécile !

— Quelle barre transversale, imbécile toi-même ? Il n'y a pas de barre transversale, a crié Geoffroy, et même s'il y en avait, regarde où est la fenêtre ! Alors, il était trop haut mon shoot ? Hein ? Dis ? Il était trop haut ?

— Silence ! a crié le directeur.

Et comme il avait l'air drôlement fâché, on a vu que ce n'était pas le moment de faire les guignols ; alors, on n'a plus rien dit.

Mais, à mon avis, Eudes avait raison ; ce n'est pas parce qu'il joue dans mon équipe, mais il n'y avait pas but. Le directeur a passé sa main sur la figure et il a dit :

– Bien ! Nous savons donc que Geoffroy est le coupable. Comme il s'est dénoncé, je ne le punirai pas. Mais il lui faut une leçon. Vous connaissez le dicton : « Qui casse les verres... » Eh bien, Geoffroy, comment finit ce dicton ?

Geoffroy a ouvert la bouche, il l'a refermée et il nous a regardés.

– Comment ? a dit le directeur, vous ne connaissez pas le dicton ? Mais qu'est-ce qu'on vous enseigne en classe ?

– Nous en sommes à Louis XI, a dit Agnan, et il a mis ses bras
derrière le dos et il a commencé à réciter : « Louis XI (1423-
1483) fut un grand roi. Très cruel, il mit ses ennemis dans des
cages ; on lui doit... »

– Bon ! Ça va ! Ça va ! a crié le directeur. « Qui casse les verres
les paie », bande de petits ignorants. Vous finirez tous au bagne !
Alors, Geoffroy, vous savez ce qui vous reste à faire !

Alors Geoffroy a sorti de sa poche le portefeuille que son papa
lui a donné. Geoffroy a un papa très riche qui lui donne tout le
temps des choses, et Geoffroy, c'est le seul des copains à avoir un
portefeuille, et c'est normal, puisque c'est le seul qui a des billets et des fois ça fait des histoires quand il achète un petit pain
au chocolat, parce que la dame de la boulangerie ne veut pas lui
faire de monnaie.

– C'est combien ? a demandé Geoffroy.

– Voulez-vous ranger ça tout de suite ! a crié le directeur.
Quand vous rentrerez chez vous pour déjeuner, vous demande-
rez à vos parents de prévenir un vitrier pour qu'il vienne réparer
cette fenêtre cet après-midi même. Je ne doute pas que vos
parents seront ravis de voir la façon dont vous vous occupez,
alors qu'ils font des sacrifices pour vous donner une bonne éducation. M. Dubon ! Faites-les aller en classe !

L'après-midi, quand on vu Geoffroy, on lui a demandé si le
vitrier allait venir, et si son papa et sa maman l'avaient grondé.
Geoffroy a dit que le vitrier allait venir et qu'il n'avait pas été
grondé, parce que son papa et sa maman étaient aux sports d'hi-
ver, et que c'était la gouvernante qui s'était occupée de tout.

Et, à la récré, on a vu le vitrier qui travaillait à la fenêtre du bureau
du directeur. Il travaillait bien, le vitrier, et il sifflait tout le temps.
Et puis le directeur est venu dans la cour, et il a dit à Geoffroy :

– Voyez la conséquence d'un geste brutal et irréfléchi : vos parents seront obligés de payer pour vous et, sans nul doute, devront se priver par votre faute. Voilà toute la reconnaissance que vous avez pour eux. Faites bien attention, Geoffroy, vous êtes sur la mauvaise pente : celle qui conduit au bagne ! Et ce n'est pas tout ; par votre faute encore, vous dérangez ce brave artisan que vous obligez à travailler et à réparer, par ses efforts, les dégâts que vous avez commis. Avez-vous quelque chose à dire, Geoffroy ?

– M'sieur, a dit Geoffroy, je peux ravoir la balle, hein, dites, M'sieur. Hein ?

Le directeur a regardé Geoffroy avec de grands yeux, il a ouvert et fermé la bouche plusieurs fois, et puis il est parti. Pour la balle, je crois que c'est fichu.

Mais le vitrier, lui, il a été très chouette, et il n'en a pas voulu du tout à Geoffroy de l'avoir dérangé. Même qu'à la sortie de l'école, il nous attendait, il a donné une balle toute neuve à Geoffroy, et sa carte avec son nom et son adresse à chacun d'entre nous.

Et il est parti en sifflant.

Louis XI (1423-1483)

Le barbecue

PAPA EST SORTI DE LA VOITURE tout content et plein de gros paquets. « Ça y est, il a dit, j'ai tout ce qu'il faut. Demain, on fait un barbecue dans le jardin. »

– C'est quoi, un barbecue ? j'ai demandé.

Et maman m'a expliqué que c'est un appareil pour faire de la viande grillée en plein air, pour ceux qui aiment manger leur viande dehors.

– C'est comme un pique-nique ? j'ai demandé.

– A peu près, m'a répondu papa, alors j'ai été très content, parce que moi, j'aime bien les pique-niques.

Le lendemain matin, dans le jardin, papa a commencé à installer son barbecue, en lisant dans un petit livre pour voir comment il fallait faire. Il était rigolo, papa, parce qu'il avait mis un tablier de maman, le rouge avec un tissu chiffonné autour. Maman, elle a apporté la table qui se plie et cinq chaises, parce que papa a invité M. et Mme Blédurt, qui sont nos voisins.

« Je veux que Blédurt voie mon barbecue, avait dit papa, ça le fera bisquer. » Papa et M. Blédurt aiment beaucoup se faire bisquer. Et puis, comme papa s'est pincé les doigts avec son barbecue, maman a demandé s'il voulait qu'on l'aide.

– Non, a dit papa, je n'ai besoin de personne. Tu n'as qu'à mettre la table, préparer la salade et apporter la viande. Toi, Nicolas, va me chercher du bois dans le garage et des vieux journaux dans le grenier. Moi, je vais aller chercher du charbon dans la cave.

Quand nous sommes tous revenus dans le jardin, les Blédurt étaient déjà là.

– Comment, a dit papa, vous êtes seuls ?

– Ben oui ! a répondu M. Blédurt.

– Ah ! a dit papa, ça m'étonne. Je pensais que vous seriez venus avec une bouteille de vin ou un gâteau.

– Je ne savais pas qu'il fallait apporter son manger, a dit M. Blédurt.

– Chéri, a dit Mme Blédurt, tu m'avais promis...

– C'est lui qui a commencé, a dit M. Blédurt.

– Le bois est tout mouillé, j'ai dit.

– Tu vois, chéri, que tu n'aurais pas dû laver ta voiture dans le garage, a dit maman à papa, et M. Blédurt s'est mis à rigoler.

Papa, il a dit que ça ne faisait rien, le coup du bois mouillé, qu'avec du papier et du charbon, il allait allumer un feu terrible, et puis M. Blédurt a poussé un cri et il s'est mis à rire tellement fort qu'il est devenu tout rouge et qu'il s'est mis à tousser. Quand il a eu un peu fini de rire, papa lui a demandé ce qui lui arrivait.

– C'est ton tablier, a crié M. Blédurt, je n'avais pas remarqué ton tablier ! Ce que tu peux être ridicule, une vraie petite fée du logis !

Et M. Blédurt s'est remis à rire et Mme Blédurt est venue lui parler à voix basse, pendant que papa mettait des tas de papier et de charbon dans le barbecue, en parlant, lui aussi à voix basse, mais tout seul.

– Tu n'arriveras jamais à allumer un feu comme ça, a dit M. Blédurt.

– Quand j'aurai besoin de toi, je sonnerai, a répondu papa, qui je crois, n'avait pas aimé le coup du tablier.

Et puis, papa a cherché dans ses poches, et il a dit :

– T'as des allumettes, Blédurt ?

– On a sonné ? a demandé M. Blédurt.

– Oui, a répondu papa, et ils ont commencé à se pousser l'un l'autre, comme ils font souvent pour rigoler, et maman leur a dit d'arrêter, qu'il commençait à se faire tard et qu'on avait faim.

Pour allumer le feu, ça n'a pas été facile. Le papier, il brûlait très bien, mais le charbon, lui, il n'y avait rien à faire. M. Blédurt lui donnait des tas de conseils à papa, mais papa lui a dit que le barbecue était à lui, et qu'il savait très bien comment il fallait faire, et puis il a soufflé dans le feu, et il a attrapé tout plein de cendres de papier dans la figure. Papa s'est essuyé avec le tablier, mais comme le tablier était sale de charbon, papa avait la figure toute noire, il était rigolo, mais pas content.

– Tu devrais aller te laver, chéri, a dit maman.

– La paix ! a crié papa. Je veux la paix ! La Paix, vous avez compris ? Je veux me détendre en faisant un barbecue, et je veux la paix ! LA PAIX !

Il a crié tellement fort, papa, qu'il m'a fait peur avec sa figure toute noire et ses yeux tout rouges, et je me suis mis à pleurer.

– Ben quoi, qu'est-ce qu'il lui prend ? a demandé papa, qu'est-ce que je lui ai fait ?

Alors maman a dit à papa d'aller se laver la figure et de se calmer. Quand papa est revenu, M. Blédurt avait allumé le feu.

– Et voilà le travail ! a dit M. Blédurt, tout fier.

Papa n'a pas eu l'air content, et je crois qu'il avait envie d'éteindre le feu qu'avait allumé M. Blédurt.

– Je n'aime pas beaucoup que tu touches à mon barbecue, a dit papa, et puis ce feu, il n'est pas si bien allumé que ça, il fume.

Et puis maman a apporté la viande, que papa a mise sur le barbecue, ça sentait très bon, mais il y avait beaucoup de fumée.

– Nous n'allons pas pouvoir rester là avec la table, a dit maman, en toussant, cette fumée est insupportable.

– Non, a répondu papa, et il a poussé un grand cri, et maman l'a emmené dans la salle de bain pour lui mettre de la pommade sur les mains. M. Blédurt avait appuyé sa figure contre l'arbre et on aurait dit qu'il pleurait. Mais il riait.

Quand papa et maman sont revenus, Mme Blédurt a eu l'idée de déménager la table. Papa et M. Blédurt s'y sont mis et tout s'est très bien passé, sauf qu'une des pattes a plié et que tout ce qu'il y avait sur la table est tombé sur l'herbe. Rien ne s'est cassé, mais tout s'est sali, surtout la salade. Maman et Mme Blédurt ont porté toutes les choses à la cuisine pour les laver.

– Dis donc, a dit M. Blédurt, avec tout ça, tu ne surveilles pas ta viande. Ça va être trop cuit.

Papa est allé voir, quand on a entendu un grand cri : « C'est pas un peu fini, non ! » C'était M. Courteplaque, notre autre voisin, qui nous parlait par-dessus la haie du jardin. M. Courteplaque, ce n'est pas un ami de papa, il est toujours fâché.

– Nous sommes asphyxiés par votre sale fumée, je vous somme de cesser immédiatement ce scandale !

Papa est allé vers la haie et il a dit :

– Je suis chez moi, et je ferai autant de fumée qu'il me plaira, et si ça ne vous plaît pas, vous n'avez qu'à plus respirer !

– Je porterai plainte ! a crié M. Courteplaque, j'ai des relations !

– Allez-y, a dit M. Blédurt, mon ami n'a pas peur de vous, allez-y, portez plainte contre lui, appelez la police, mon ami, ça le fait rigoler !

– Euh ! a dit papa, laissons-le, Blédurt, ça ira comme ça.

– Mais non, mon vieux, mais non, a dit M. Blédurt qui avait vraiment l'air d'être en colère, et puis tenez, vous savez ce qu'il vous dit mon ami ? Mon ami...

– Assez, Blédurt ! a crié papa.

Et puis maman s'est mise à crier que la viande était toute brûlée et qu'on ne pourrait pas la manger. Et alors, ça a été chouette, parce que le barbecue, c'est devenu un vrai pique-nique : maman nous a donné des sandwiches, des œufs durs et des bananes, et on est rentrés en courant dans la maison, parce qu'il s'est mis à pleuvoir.

Le réfrigérateur

J EUDI, TOUT DE SUITE APRÈS LE DÉJEUNER, quand les hommes ont sorti la glacière du camion, papa s'est mis à crier :

– Blédurt ! Blédurt ! Viens vite !

M. Blédurt, c'est notre voisin, est sorti en courant de sa maison et il était rigolo comme tout parce qu'il avait une serviette attachée autour du cou.

– Qu'est-ce qu'il y a ? a-t-il demandé. Qu'est-ce qui se passe ?

– C'est le nouveau réfrigérateur que j'ai acheté, a expliqué papa. Le grand modèle !

– Et c'est pour ça que tu me déranges au milieu de mon repas ? a demandé M. Blédurt. Tu deviens complètement malade, mon pauvre ami !

– Viens dans la cuisine, a dit papa, tu vas voir quand on va le déballer ; il est formidable ! Enorme !

– Bon, a dit M. Blédurt. Entre dans ton réfrigérateur, remplis-le d'eau, et quand tu seras gelé, je viendrai le voir !

– C'est la jalousie qui te fait parler, a dit papa, mais ça ne fait rien ; ce soir, quand je reviendrai du bureau, je t'offrirai l'apéritif avec autant de cubes de glace que tu voudras !

M. Blédurt a levé les épaules et il est rentré chez lui.

Quand les hommes ont eu fini d'enlever les cartons qu'il y avait autour du réfrigérateur – comme dit papa –, ils nous ont

montré comment il fallait le faire marcher, comment mettre les choses dedans et comment sortir les cubes de glace. Et puis, papa est sorti avec les hommes, et il nous a dit, à maman et à moi, qu'il tâcherait de revenir plus tôt que les autres jours.

Ce qui est chouette comme tout, dans le réfrigérateur, c'est qu'il y a une lumière dedans. Maman m'a expliqué que la lumière n'était allumée que quand la porte était ouverte. Et puis elle a rangé les choses dans le réfrigérateur et elle est allée s'habiller pour faire des courses dans les magasins. Pour que je ne reste pas seul à la maison, maman m'avait permis de dire à Alceste de venir jouer avec moi. Alceste, c'est un bon copain de l'école, et avec lui on rigole toujours. Et quand Alceste est arrivé, maman a dit :

– Je rentrerai peut-être un peu tard ; j'ai préparé des tartines qui sont sur la table de la cuisine. Amusez-vous bien et soyez sages !

Maman m'a embrassé, elle a donné une petite tape sur la joue d'Alceste, elle a essuyé sa main et elle est sortie.

– A quoi on joue ? a demandé Alceste.

– Viens voir mon nouveau réfrigérateur, je lui ai dit.

– Ton quoi ? il m'a demandé.

– Mon nouveau réfrigérateur, je lui ai expliqué. C'est une glacière avec une lumière qui s'allume dedans.

– Comme à la charcuterie ? a dit Alceste.

Et il est venu à la cuisine avec moi. J'ai ouvert la porte du réfrigérateur, ça s'ouvre très facilement, et Alceste a dit :

– Dis donc ! C'est terrible ! Vous en avez des choses à manger !

– T'as vu la lumière ? j'ai dit.

– Oui, et puis les œufs, là, et puis le morceau de gâteau au chocolat ! a dit Alceste.

– Et puis, ce qu'il y a de formidable, je lui ai expliqué, c'est quand on ferme la porte, la lumière s'éteint !

– Et ça, là, a dit Alceste, c'est pas du rôti ?

– Et puis, t'as vu ? j'ai dit, la porte, elle se ferme presque toute seule !

Et j'ai poussé la porte, et clac ! elle s'est refermée, un peu comme les portes de la voiture de papa, sauf celle qui est de son côté, là où il y a eu l'accident, mais c'est de la faute de l'autre, même si l'agent disait que c'était la faute de papa.

Alceste a voulu essayer la porte et il l'a ouverte. On s'est bien amusés, là ; moi je poussais la porte : clac ! et Alceste l'ouvrait.

Et puis Alceste a eu faim et nous avons mangé les tartines que maman nous avait laissées, et puis Alceste m'a dit qu'il avait apporté sa petite auto et qu'on pourrait faire des courses par terre, dans ma chambre. Moi, j'aurais préféré continuer à regarder le réfrigérateur.

Dans ma chambre, on a fait des tas de courses avec les autos, et puis on a fait des accidents avec les livres qu'on a mis sur le tapis ; après, on a mis les rails du train électrique et on a joué avec la locomotive et le wagon qui me reste, celui qui a encore toutes les roues. Bien sûr, il ne marche plus à l'électricité, mon train, depuis la fois où il y a eu la grosse étincelle quand papa jouait avec lui, mais on pousse la locomotive avec la main, on fait « Tuuuut, tuuuut » et « En voiture ! » et on s'amuse bien et Alceste m'a dit :

— Dis donc, tu ne crois pas qu'on pourrait prendre un petit bout de gâteau au chocolat qui est dans ton réfrigérateur ?

Quand nous sommes descendus à la cuisine, on n'a pas eu besoin de l'ouvrir, le réfrigérateur, parce que nous l'avions laissé ouvert. Nous avons pris un petit bout de gâteau chacun, qu'on a coupé proprement avec nos doigts, et j'ai essuyé avec mon mouchoir ce qui était tombé sur le rôti.

Et puis Alceste m'a demandé :

— Comment est-ce qu'on fait pour éteindre la lumière de ton réfrigérateur ?

— Ben, j'ai répondu, on ferme la porte.

— Mais si tu veux avoir la porte ouverte et pas de lumière ? m'a demandé Alceste.

— Ben, je sais pas, moi, j'ai dit. Il doit y avoir un truc.

Nous avons cherché, mais il n'y avait rien à faire ; chaque fois qu'on ouvrait la porte, bing ! la lumière s'allumait, ça devenait énervant. Et puis, j'ai trouvé.

— C'est comme pour le train électrique, j'ai dit, on n'a qu'à enlever la prise !

– Fais voir ! a dit Alceste.

Alors, j'ai enlevé la prise, et alors là, quand j'ai ouvert la porte du réfrigérateur, il n'y avait plus de lumière !

– C'est bien combiné, il a dit, Alceste.

Et puis, on a entendu rentrer maman. Alors, nous avons fermé la porte du réfrigérateur et nous sommes sortis de la cuisine, parce que je sais que maman n'aime pas que j'y joue, surtout avec Alceste.

– Alors, les enfants, vous vous êtes bien amusés ? a demandé maman.

Nous, on a dit que oui, et puis Alceste a dit merci à maman pour les tartines et il a dit qu'il devait rentrer chez lui pour goûter. Il est parti et maman m'a fait essayer le pull-over qu'elle

m'avait acheté et qui était assez bien, sauf pour les manches qui sont trop longues et les petits canards tout autour de la ceinture, et si les copains voient les canards, on va encore se battre. Et puis, je suis retourné jouer dans ma chambre.

C'est quand papa est rentré que je me suis rappelé le coup de la lumière dans le réfrigérateur. J'ai vite couru dans la cuisine, j'ai remis la prise et je suis allé embrasser papa, qui était avec M. Blédurt.

– Ah ! Blédurt, a dit papa. Viens avec moi, je vais te montrer le nouveau système qu'ils ont trouvé pour sortir les cubes de glace.

Mais quand papa a ouvert le réfrigérateur, il n'a pas été content du tout.

– Ça, par exemple ! il a dit, l'eau n'est même pas encore froide et le réfrigérateur marche au maximum ! Et le beurre ! Il est tout mou.

M. Blédurt était appuyé contre l'évier de la cuisine, et il riait tellement fort qu'il a eu le hoquet. Papa a téléphoné au magasin qui lui avait vendu le réfrigérateur et il a beaucoup crié en disant que si demain matin on ne venait pas le lui changer ou le réparer, il ferait un scandale. Il était très fâché, papa.

Et il avait bien raison. Parce que c'est vrai quoi, à la fin, c'est très joli, les petites lumières qui s'allument quand on ouvre la porte, mais s'il ne fait pas de glace, à quoi ça sert un réfrigérateur ? Hein ?

La pétanque

GEOFFROY, c'est un copain qui a un papa très riche qui lui achète tout le temps des choses, est arrivé à l'école ce matin avec un gros paquet sous le bras. Nous lui avons demandé ce que c'était, mais Geoffroy, qui aime bien faire le mystérieux – ce qu'il m'énerve celui-là ! –, nous a dit qu'il nous montrerait à la récré, pas avant.

Et à la récré, Geoffroy a ouvert son paquet, et dedans, c'était plein de boules de pétanque. Des boules en bois, bleues, jaunes, rouges et vertes, et bien sûr, un cochonnet. Très chouette !

– Voilà, a dit Geoffroy. On va jouer par équipes de deux. Moi je prends Eudes, et les boules rouges.

– Et pourquoi, je vous prie ? a demandé Rufus.

– Parce que les boules de pétanque sont à moi. C'est pour ça que je prends Eudes, a répondu Geoffroy.

– Eudes, ça m'intéresse pas, a dit Rufus. Ce que je veux savoir, c'est pourquoi tu prends les boules rouges, je vous prie ?

Il avait raison Rufus. Eudes est intéressant à prendre quand on joue au foot, par exemple, parce que, comme il est très fort, quand il a le ballon, personne n'ose le lui prendre. Mais, pour la pétanque, ou pour les billes, ce n'est pas la même chose ; là, il vaut mieux quelqu'un qui joue bien comme moi. Mais Eudes, ça ne lui a pas plu ce qu'avait dit Rufus.

– Et un coup de poing sur le nez, il a demandé, Eudes, ça t'intéresse ?

– Elle est bonne, celle-là ! a dit Joachim en rigolant.

Il a cessé de rigoler quand Rufus lui a donné une baffe, mais ils n'ont pas pu se battre vraiment parce que M. Mouchabière est arrivé en courant. M. Mouchabière, je vous en ai déjà parlé une ou deux fois, je crois, c'est un surveillant qui aide le Bouillon qui, lui, est notre vrai surveillant.

– Qu'est-ce qu'il y a encore ? a demandé M. Mouchabière. Vous savez, avec vous je n'irai pas par quatre chemins : à la moindre incartade, tous au piquet !

– Ben, on n'a rien fait, nous, M'sieur, a crié Geoffroy. On allait jouer à la pétanque, c'est tout.

M. Mouchabière a regardé les boules de pétanque, il a regardé Geoffroy, et puis il a regardé les boules de pétanque de nouveau.

– Et qui vous a donné l'autorisation d'apporter un jeu de pétanque à l'école, je vous prie ? a demandé M. Mouchabière.

– Ben quoi, ben quoi, a dit Geoffroy. On ne fait pas de mal avec la pétanque, ben quoi, M'sieur !

M. Mouchabière nous a dit qu'avec nous il avait toujours des ennuis, et qu'il était sûr qu'avec la pétanque il aurait des ennuis, et qu'il ne voulait plus avoir d'ennuis à cause de nous. Et nous, on a crié : « Allez, quoi, M'sieur ! Allez quoi ! » Mais M. Mouchabière faisait non avec le doigt et la tête, et le Bouillon est arrivé.

– Des ennuis, Mouchabière ? il a demandé le Bouillon.

– Pas encore, mais nous en aurons certainement avec cette bande de garnements, a dit M. Mouchabière. Voilà qu'ils veulent jouer à la pétanque, à présent !

– Ah ! Ils veulent jouer à la pétanque ? a dit le Bouillon. Eh bien, laissez-les faire, Mouchabière. Vous savez où me trouver et moi je vous garantis, pétanque ou pas, que cette mauvaise graine ne nous causera pas d'ennuis !

M. Mouchabière a regardé partir le Bouillon, et puis il nous a dit :

– Bon, je vous laisse jouer. Mais vous avez entendu ce qu'a dit M. le Bouil... M. Dubon ! A bon entendeur, salut !

M. Mouchabière est parti s'occuper d'un grand qui battait un moyen, et nous, on a continué à jouer à la pétanque.

– Et pourquoi tu m'as donné une baffe ? a demandé Joachim à Rufus.

– Parce que c'est pas juste que Geoffroy prenne les boules rouges, a répondu Rufus. On n'a qu'à tirer au sort.

Joachim, et nous tous, on était d'accord avec Rufus ; c'est vrai, quoi, à la fin, qu'est-ce qu'il se croit Geoffroy, non mais, sans blague !

– On va pas tirer au sort, a dit Geoffroy. Les boules rouges, c'est pour moi, et si ça vous plaît pas, vous jouez pas et voilà tout. Je jouerai seul avec Eudes, chacun avec une boule rouge.

– Eh bien, c'est ça ! a crié Rufus, vous n'avez qu'à jouer seuls, comme deux imbéciles !

– Moi, je veux bien prendre les bleues, a dit Maixent.

Alors, Alceste et moi on a pris les jaunes, Rufus et Clotaire, les vertes, et Joachim les bleues avec Maixent. Les équipes, on les a choisies sans faire d'histoires, parce que nous savons que la récré est courte et que c'est bête de passer son temps à se disputer au lieu de jouer à la pétanque. Et puis, pour faire plus vite, c'est Eudes qui les a formées, les équipes, alors tout s'est très bien arrangé.

– Bon, le cochonnet, c'est moi qui le lance ! a dit Geoffroy.

– Non, a dit Eudes, c'est moi.

– Mais puisqu'on est de la même équipe ! a dit Geoffroy.

– Si tu veux rester dans mon équipe, a crié Eudes, tu me laisses le cochonnet !

Et il a jeté le cochonnet drôlement loin, comme s'il jouait à la balle au chasseur, et puis il a envoyé sa boule, mais pas assez fort.

– Le cochonnet est trop loin, a dit Eudes.

Il a voulu aller chercher sa boule, mais Clotaire lui a dit que s'il faisait ça, plus personne ne lui parlerait. Eudes a dit que bon, d'accord, ça va, mais qu'on était tous de mauvais joueurs et des minables. Moi je me suis très bien placé, Rufus a joué comme une andouille, mais Maixent, il a mis sa boule presque contre le cochonnet. Terrible !

– Bon, a dit Geoffroy, je vais tirer.

– Non, a dit Eudes, pointe.

– Et où est-ce que je vais pointer avec la boule de cet imbécile qui est contre le cochonnet ? a crié Geoffroy.

– Si tu tires, tu vas rater, a dit Eudes, et on n'a plus de boule. Et si on perd à cause de toi, moi je te donne un coup de poing sur le nez.

– Qui est un imbécile ? a demandé Maixent.

Et il a commencé à se battre avec Geoffroy, et ils se donnaient des tas de gifles et de coups de pied, et puis M. Mouchabière est arrivé en courant, pas content du tout.

– Arrêtez ! Arrêtez tout de suite ! il a crié M. Mouchabière, avec la voix de maman quand je la fais enrager.

– Qu'est-ce qui se passe ? Quel est ce vacarme ? a demandé le Bouillon, qui était arrivé à son tour.

– Je vous avais bien dit que nous aurions des ennuis avec ces sauvages et leur pétanque ! a crié M. Mouchabière.

– Nous n'aurons pas d'ennuis, a dit le Bouillon, mais je voudrais qu'on m'explique ce qu'il se passe pour que je puisse sévir.

– C'est à cause de Geoffroy, a crié Eudes. Je lui dis de pointer et il veut tirer !

– Pointer ? a dit le Bouillon, tout étonné. Mais non, voyons ! Il faut tirer !

– Ah ! Tu as vu ? Tu as vu ? a crié Geoffroy à Eudes.

– Silence, vous deux ! a crié M. Mouchabière. Ce n'est pas pour vous contredire, M. Dubon, mais à mon avis, il serait plus prudent de pointer. C'est trop loin, pour tirer, et avec ces boules en bois... Tenez, moi, pendant les vacances...

– Allons, allons, Mouchabière, a dit le Bouillon, soyons
sérieux, quoi ? Vous voyez bien que c'est la seule façon de s'en
sortir ! Si on ne tire pas, le point est perdu, c'est évident !

– Elle est impossible à tirer cette boule, a dit M. Mouchabière.

– Je vais vous montrer si elle est impossible, a dit le Bouillon
en prenant la boule des mains de Geoffroy.

Mais il n'a rien pu nous montrer du tout, parce que le directeur, qu'on n'avait pas vu arriver, a dit :

– M. Dubon, si vous voulez bien avoir l'obligeance d'aller sonner la fin de la récréation, comme il aurait fallu le faire il y a de
cela sept minutes. Je vous attendrai, vous et M. Mouchabière,
dans mon bureau, pour continuer la partie.

Et c'est sûrement le directeur qui a gagné, parce qu'à la récré
suivante, le Bouillon et M. Mouchabière faisaient des têtes bien
ennuyées.

Le miroir

HIER SOIR, LE CAMION DU MAGASIN s'est arrêté devant la maison et deux hommes ont apporté un très grand paquet tout plat.

– C'est le miroir pour le salon, chérie ! a crié papa, qui avait ouvert la porte.

Et maman est arrivée, a regardé le paquet et a dit que, mon Dieu, dans le magasin, la glace n'avait pas l'air aussi grande.

– C'est bien la dimension que nous avons demandée, pourtant, a dit papa en rigolant. Elle sera très bien derrière le canapé. Je vais la poser après le dîner.

– Jamais de la vie ! a crié maman. Une glace de ce prix, tu n'y penses pas ! Tu vas sûrement la casser !

– Dis tout de suite que je suis un maladroit, a répondu papa. Et de toute façon, nous n'avons pas acheté ce miroir pour le laisser par terre. Il faut le poser, et je le poserai.

– Mais chéri, a dit maman, il serait plus prudent de demander à quelqu'un qui a l'habitude… Je sais que tu aimes bricoler, mais enfin…

– Ecoute, a dit papa, je sais bien que ce miroir est fragile et qu'il coûte cher, c'est pour ça que ton manque de confiance ne me vexe pas ; mais à qui vas-tu demander de poser cette glace ? Et puis, même si tu trouvais quelqu'un, n'oublie pas que demain c'est dimanche, et qu'au mieux il nous faudrait attendre lundi ou mardi pour la faire poser. Et c'est en restant là, sans être fixée, que la glace risque de glisser et de se casser... La moindre secousse, et crac !

– Attention ! a crié maman.

– Ne crains rien, a dit papa. En tout cas, c'est décidé ; après dîner, je pose cette glace, et on n'en parle plus. D'accord ?

– Bon, mais tu seras prudent, a dit maman, qui avait l'air un peu rassurée.

– Et moi, je vais aider papa, j'ai dit pour la rassurer tout à fait.

Maman m'a regardé, elle a ouvert la bouche, elle l'a refermée et puis elle est allée dans la cuisine pour préparer le dîner.

A table, maman n'a presque rien mangé, et pourtant c'était très bon, il y avait du rôti, et puis papa a mis sa serviette dans le rond, et il a dit :

337

– Je vais prendre mes outils et l'escabeau.

Papa est parti, il est revenu avec les outils et l'escabeau, et nous sommes allés dans le salon, papa, maman et moi. Maman a aidé papa à déplacer le canapé, et puis papa a pris la glace.

– Je vais la mettre contre le mur, a dit papa à maman, et tu vas me dire si elle est bien au milieu.

– Je vais t'aider, j'ai dit.

– Non, Nicolas ! a crié maman.

– Pourquoi non ? j'ai demandé. C'est très lourd, et alors, moi…

– Nicolas ! a crié maman, tu vas me faire le plaisir de ne pas discuter quand je te dis quelque chose. Je ne veux pas que tu touches à cette glace ! Tu as compris ?

– Alors là, c'est pas juste, j'ai dit. Moi je veux aider, et on me gronde. Ça c'est trop fort !

Et je me suis mis à pleurer, et j'ai donné des coups de pied par terre, et maman a demandé ce qu'elle avait fait au bon Dieu. Mais après, comme elle est très chouette, elle m'a embrassé, elle m'a consolé, elle m'a demandé d'être sage, et papa a crié :

– C'est pas un peu fini, non ? C'est lourd, ce machin, et j'attends qu'on veuille bien s'occuper de moi, ou je vais tout lâcher !

– Non ! a crié maman.

– Bon, alors, Nicolas, va chercher un crayon. Toi, dis-moi si c'est bien droit comme ça, a dit papa, qui devenait tout rouge.

Alors, je suis allé chercher le crayon, et quand je suis revenu, papa, qui était encore plus rouge qu'avant, m'a dit de mettre des coups de crayon juste en dessous de la glace, sur le mur, et moi j'étais bien content, parce qu'en général on ne me laisse jamais rien écrire sur les murs du salon.

Et puis, papa a mis la glace par terre, il s'est frotté les doigts, et il a dit qu'il allait y aller.

– Tu ne crois vraiment pas…, a dit maman.

Alors papa s'est fâché tout plein, il a dit qu'il en avait assez, qu'il voulait qu'on le laisse tranquille, que sinon il finirait par casser quelque chose, et que c'était insupportable, c'est vrai, quoi, à la fin.

– Bon, bon, a dit maman, je vais aller laver la vaisselle. J'aime mieux ne pas voir ça.

Et puis, maman est partie, et papa a commencé à faire des trous dans le mur, et puis il a regardé la glace, il s'est gratté la tête, et il a dit :

– Il me faut tout de même quelqu'un pour m'aider à la soulever, cette glace, pendant que je la pose...

– Eh bien, moi, j'ai dit. Moi, je peux t'aider.

– C'est vrai ça, mon Nicolas, a dit papa. Alors, tu vas m'aider en allant chercher M. Blédurt. A nous trois, je suis sûr que nous ferons du bon travail.

Alors, j'ai couru jusqu'à chez M. Blédurt ; c'est pas loin, puisque c'est notre voisin. J'ai sonné et quand M. Blédurt a ouvert la porte, je lui ai demandé de venir nous aider à poser la glace.

– Ah ! a dit M. Blédurt, c'était une glace qu'ils sont venus apporter ?

Et M. Blédurt s'est tourné vers l'intérieur de sa maison, et il a crié :

– Chérie ! C'était une glace !

Et puis, il m'a dit qu'il allait venir nous aider tout de suite, et qu'il allait en profiter pour nous ramener les coupes à champagne que papa et maman leur avaient prêtées pour le soir où M. Blédurt avait invité son patron et sa patronne.

Je suis revenu chez nous avec M. Blédurt qui tenait un plateau avec les coupes à champagne, celles qu'on ne sort presque jamais du buffet.

– Ah ! Te voilà, Blédurt, a dit papa. Tu vas me donner un coup de main pour poser ce miroir.

– D'accord, a dit M. Blédurt. Je te rends ces coupes. Merci beaucoup, elles nous ont bien rendu service ; où est-ce que je les mets ?

– Je ne sais pas, moi, a dit papa, tu n'as qu'à les laisser sur la chaise, là, on les rangera plus tard. Maintenant, voilà ce que tu vas faire : tu vas tenir la glace, par en bas, là, comme ça... Bon... Tiens bien...

– Ouille ! Ouille ! Je lâche ! a crié M. Blédurt.

Mais c'était pour rire, et ils se sont mis au travail tous les deux, et moi je les aidais drôlement, parce que papa a dit que ce serait moi qui tiendrais les vis et qui les passerais à papa chaque fois qu'il en aurait besoin.

Et puis, papa a fini de poser la glace, et elle tenait bien au mur, très chouette et presque droite.

– Ouf ! a dit papa. C'était pas de la tarte ! Enfin c'est fait ! Nicolas, mon garçon, va chercher ta maman, maintenant.

Alors, j'ai couru vers la cuisine et j'ai ouvert la porte d'un coup, j'ai entendu un grand cri, et j'ai vu maman, qui avait de grands yeux et qui tenait des tas d'assiettes dans les mains.

– Nicolas ! a crié maman. Je t'ai déjà demandé cent fois de ne pas ouvrir la porte comme un sauvage ! Tu as failli me faire tomber avec toutes les assiettes !

– Viens voir, maman ! Viens voir ! j'ai crié.

Alors maman a laissé les assiettes sur la table de la cuisine et elle m'a suivi dans le salon.

– Hein ? a dit papa quand maman est entrée. Alors, qu'est-ce que tu en dis de ta glace, et accessoirement de ton mari ? Hein ?

– C'est magnifique ! Magnifique ! a dit maman, et elle était toute rose.

– Faut être juste, a dit papa, je n'aurais rien pu faire sans l'aide de deux assistants distingués ; j'ai nommé M. Blédurt et M. Nicolas !

On a tous rigolé, et maman a embrassé papa, elle m'a embrassé, et elle a serré la main de M. Blédurt.

– Ah ! Mes enfants, a dit maman, vous ne pouvez pas savoir comme je suis soulagée !

Et elle s'est laissée tomber sur la chaise. Pas celle où il y avait les coupes à champagne. Non, sur l'autre.

Tout le monde était bien content, et moi aussi. Et puis, j'étais assez étonné, parce qu'il faut que je vous dise que, jusqu'au bout, j'ai bien cru que quelqu'un allait casser quelque chose !

La tondeuse à gazon

Maman a dit à papa qu'il devrait tondre le gazon de la pelouse, parce que le jardin ressemblait à un terrain vague, que c'était une honte, et que papa trouvait toujours des prétextes pour ne pas tondre la pelouse, tout simplement parce qu'il n'aimait pas faire ça. Papa, qui était en train de lire son journal, couché sur le canapé du salon, a répondu qu'il ne cherchait pas de prétexte, mais que notre tondeuse était cassée, et qu'il ne voyait pas où il pourrait en trouver une autre, puisqu'on était dimanche. Et maman a dit qu'on pourrait emprunter celle de M. Blédurt.

– Blédurt ? a dit papa. Jamais. Nous nous sommes fâchés et nous ne nous parlons plus !

M. Blédurt, c'est notre voisin ; il est très rigolo et il aime bien taquiner papa ; mais comme papa n'aime pas toujours être taquiné par M. Blédurt, alors, de temps en temps, il se fâche avec M. Blédurt.

– Ça ne fait rien, a dit maman. Ce sera Nicolas qui ira emprunter la tondeuse à gazon, et Blédurt ne la lui refusera pas.

– Et comment qu'il la lui refusera, quand il saura que c'est pour moi ! Je suis bien tranquille, a dit papa en rigolant. Je le connais, ce grotesque !

Mais maman a dit que je n'avais pas besoin d'expliquer que la tondeuse était pour papa, et je suis allé sonner à la porte de M. Blédurt.

– Tiens ! Mais c'est Nicolas ! a dit M. Blédurt, qui est toujours très chouette avec moi, même quand il est fâché avec papa.

– Je viens voir si vous pouvez me prêter la tondeuse à gazon, j'ai dit.

– C'est pour ton père ? a demandé M. Blédurt.

Alors, moi j'ai pas su quoi dire, et M. Blédurt m'a dit de ne pas mentir, parce qu'il le verrait tout de suite : mon nez se mettrait

à remuer ! Ça, ça m'a fait rigoler, parce que c'était ce qu'on me disait quand j'étais petit, avant les vacances. Une fois, même, je m'étais mis devant la glace et j'avais dit des tas de gros mensonges pour voir si mon nez remuait, et bien sûr, c'était des blagues.

– Bon, a dit M. Blédurt. Tu diras à ton père qu'il vienne faire ses commissions lui-même, si c'est un homme.

Alors moi je suis retourné à la maison, j'ai réveillé papa qui dormait sur le canapé avec le journal sur la figure, et je lui ai dit ce que m'avait dit de lui dire M. Blédurt. Et, à papa, ça ne lui a pas fait plaisir du tout !

– Ah ! C'est comme ça ? a dit papa. Eh bien nous allons voir si je suis un homme...

Et nous sommes allés ensemble chez M. Blédurt, qui devait regarder par sa fenêtre, parce qu'il a ouvert la porte avant que papa ait le temps de sonner.

– Dis donc, Blédurt, a demandé papa, tu ne crois tout de même pas que j'ai peur de toi, non ?

– Ce que je crois, c'est que tu as un drôle de toupet de venir chez moi, a répondu M. Blédurt. Si j'avais un chien, je te le lâcherais !

– Un chien ? a dit papa en rigolant. Mais, mon pauvre ami, jamais un chien n'accepterait de rester auprès de toi ! Ça a de l'instinct, ces bêtes-là !

– Ah ! C'est malin ! a dit M. Blédurt. En tout cas, moi, j'ai les moyens de m'en acheter un de chien, et de le nourrir ! C'est pas comme d'aucuns que je ne nommerai pas !

– Pauvre minable ! a crié papa. Non seulement j'ai largement les moyens de m'acheter un chien, mais encore un chien de race, et je le dresserais à mordre les minables !

– C'est vrai ? j'ai demandé. On va avoir un chien ?

– Nicolas, m'a dit papa, ne te mêle pas de la conversation des grandes personnes et retourne à la maison !

Alors, moi, je suis parti en courant chez nous, content comme tout, et je suis allé dire à maman, qui était dans la cuisine, que papa allait acheter un chien et que nous lui apprendrions à faire des tours.

– Un chien, a dit maman. C'est ce que nous allons voir… Où est-il, ton père ?

J'ai dit à maman que papa était chez M. Blédurt, et nous y sommes allés ensemble. Papa et M. Blédurt étaient toujours en train de parler devant la porte.

– Qu'est-ce que c'est cette histoire de chien ? a demandé maman.

– Chien ? a dit papa. Quel chien ?

– Celui que tu vas acheter, à qui nous apprendrons à faire des tas de tours, comme le coup de mordre les minables, et nous l'appellerons Lancelot, j'ai dit.

– Nicolas, a crié papa, je crois t'avoir dit de rentrer à la maison !

– Ça ne m'explique pas cette histoire de chien, a dit maman. Tu sais que je ne veux pas d'animaux chez nous !

– Mais non ! a dit papa. Nicolas a mal compris ! Il n'est pas question d'acheter un chien…

– Mais tu as promis ! j'ai crié.

– Nicolas ! a crié papa. Pour la dernière fois, veux-tu retourner à la maison ?

Alors, là, c'était vraiment pas juste ! On me promet qu'on va m'acheter un chien, on lui donne un nom, on dit même qu'on va le dresser à mordre les minables, et puis après, c'est tout des blagues, et je me suis mis à pleurer.

– Tu veux une fessée, Nicolas ? a demandé papa.

– Ah ! Non ! a crié M. Blédurt. Je m'oppose à ce que ce malheureux enfant soit martyrisé chez moi ! Déjà que je l'entends souvent crier…

– Ça m'étonnerait que vous l'entendiez, M. Blédurt, a dit maman, avec votre radio qui hurle à réveiller tout le quartier !

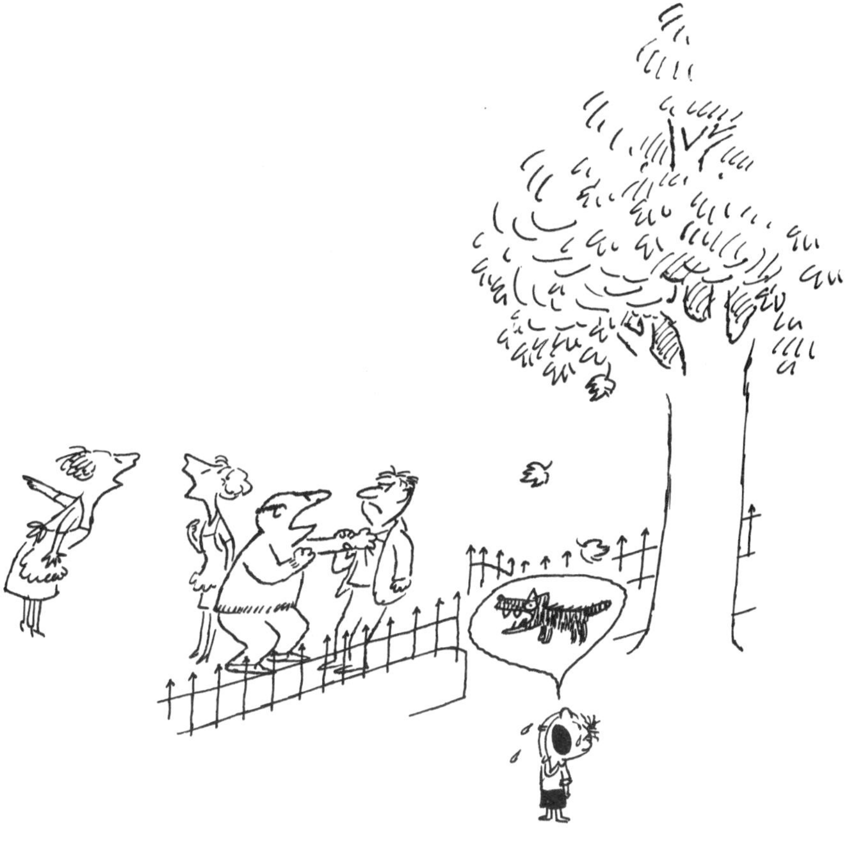

– Je ne savais pas qu'il fallait demander la permission du quartier pour écouter la radio chez moi ! a dit Mme Blédurt, qui venait d'arriver, toute rouge.

Maman est restée un moment avec la bouche ouverte, et puis elle a rigolé.

– Ecoutez, elle a dit, maman. Vous ne trouvez pas que nous sommes un peu ridicules, de nous disputer comme des gamins ?

– C'est vrai, a dit Mme Blédurt. Vous avez bien raison. Au fond, nous nous aimons bien, et ces disputes entre voisins sont grotesques...

– Et ce n'est pas un bel exemple pour le petit, a dit maman. Tout ça, c'est de la faute de ces deux grands nigauds. Allez, faites la paix et serrez-vous la main. Vous en mourez d'envie !

Papa et M. Blédurt ont eu l'air embêtés ; ils se sont regardés, papa a donné un petit coup de pied à un caillou, et puis il a avancé sa main vers M. Blédurt, qui l'a prise avec sa main à lui, et ils se sont mis à rigoler tous les deux, mais pas comme quand ils sont fâchés. Et puis Mme Blédurt a embrassé maman, et puis elle m'a embrassé, moi ; M. Blédurt m'a passé la main sur les cheveux, et c'était tellement chouette que je me suis consolé pour le coup de Lancelot. Maman a dit que c'était de la blague, que jamais la radio ne nous dérangeait, et Mme Blédurt a dit qu'elle ne m'entendait pas crier. Et ça, ça m'a étonné ! Et puis maman a dit qu'il était l'heure de rentrer, parce qu'elle avait son dîner à faire, tout le monde s'est serré la main, et nous sommes partis.

Nous étions de retour chez nous, quand on a sonné à la porte. Papa a fait un soupir, il s'est levé du canapé, et il est allé ouvrir. C'était M. Blédurt qui était là, avec un gros rire gentil, et sa tondeuse à gazon.

– Avec tout ça, a dit M. Blédurt, tu as oublié le principal : la tondeuse à gazon, pour ta pelouse !

Alors, papa s'est mis très en colère ; il a dit à M. Blédurt de se mêler de ce qui le regardait, qu'il ne l'avait pas sonné et que, de toute façon, quand il aurait envie de tondre la pelouse, il s'achèterait une tondeuse à gazon, pour ne pas avoir à l'emprunter chez des minables, non mais sans blague !

Et papa et M. Blédurt ne se parlent plus.

Mes vacances de Pâques

Moi, j'aime bien Pâques ; c'est une chouette fête : on a vacances à l'école, on mange des tas d'œufs en chocolat, et tout le monde voyage, comme les cloches ; mais nous on ne va pas à Rome, on va chez mémé, qui habite à la campagne, très loin de chez nous.

Papa, je crois qu'il n'avait pas tellement envie d'aller chez mémé. Il a expliqué à maman qu'il préférait se reposer à la maison, que sur les routes ils avaient défendu de conduire à plus de

90 kilomètres à l'heure, ce qui n'était pas drôle, et que pour partir pour trois jours, ça risquait de faire des frais. Maman m'a dit de monter jouer dans ma chambre, et après elle a crié des choses, mais je n'ai pas bien entendu ce qu'elle disait. Quand je suis redescendu dans le salon, j'ai été très content, parce que papa avait décidé de nous emmener chez mémé. Moi, j'aime bien aller chez mémé ; il y a des poules, des lapins, des canards, des arbres, et on mange très bien.

– Je vais préparer un panier pour la route, a dit maman ; mais papa a dit que non, qu'il en avait assez de manger des œufs durs, des sandwiches et des bananes, qu'on irait au restaurant.

C'est drôlement chouette ! Papa, il choisit les restaurants dans un petit livre rouge, et il m'a expliqué une fois que là-dedans, ils vous disent comment sont les restaurants, avec des tas de petites étoiles et de fourchettes. Avec papa, on ne va jamais là où il y a des étoiles, parce que papa dit que c'est très cher et qu'il refuse de payer le cadre pour casser la croûte. Je ne sais pas ce que ça veut dire, mais papa ça le fait rigoler toujours quand il dit ça. Et il le dit souvent ; ça doit être très drôle, alors moi je ris aussi, pour lui faire plaisir, parce que moi, j'aime beaucoup mon papa.

Il faut dire que le petit livre rouge ne marche pas toujours, parce qu'il est très vieux ; papa m'a dit qu'il l'avait acheté quand il s'était marié avec maman, pour faire le voyage de noces. Alors, souvent, quand on s'arrête devant un restaurant, le restaurant n'est plus là, et à la place, il y a une fabrique de caoutchouc, comme la dernière fois que nous sommes partis en auto, et on a crevé devant l'usine, ce qui a fait rigoler tous les gens qui y travaillaient et qui sont sortis pour nous voir. Mon papa il ne rigolait pas, parce que le pneu de rechange était crevé, lui aussi.

Nous sommes partis le matin de très bonne heure, et avant de partir, papa est allé sonner chez M. Blédurt, notre voisin, pour le prévenir qu'on partait, et qu'on allait peut-être pousser jusqu'à la côte. M. Blédurt qui était en pyjama à raies, ça n'a pas paru lui faire tellement plaisir, je ne sais pas pourquoi, mais il a été gentil quand même, il nous a souhaité bon voyage. « Bon voyage », il a dit.

Sur la route, les 90 kilomètres à l'heure, personne ne pouvait les faire, parce qu'il y avait des tas de voitures, et ça n'avançait pas vite, et les gens qui partaient en vacances n'avaient pas l'air contents du tout.

– Ça commence bien! a dit papa.

– Ça va être difficile de pousser jusqu'à la côte, j'ai dit.

– Quelle côte ? a demandé maman.

– Nicolas, tais-toi ! a crié papa.

Moi je me suis mis à pleurer et maman a dit à papa de ne pas crier après moi, que ce n'était pas ma faute s'il y avait un embouteillage, et papa a demandé si c'était lui qui avait eu l'idée d'aller chez mémé, et moi, j'ai dit que non, que ça avait été maman, et maman m'a dit : « Nicolas, tais-toi ! » et moi, je me suis mis à pleurer, mais pas très fort parce que j'étais content d'aller chez mémé.

– Ce qui est ennuyeux, a dit maman, c'est qu'avec tout ce monde, les restaurants vont être pleins.

– Le principal, a dit papa, c'est de s'arrêter de bonne heure. J'ai calculé que nous serons à Millediou-la-Vigne à midi, sans nous presser. Il y a une bonne petite auberge, là, que Barlier m'a recommandée.

M. Barlier, c'est un copain de bureau de mon papa, qui aime beaucoup manger, comme mon copain Alceste ; mais M. Barlier va plus souvent au restaurant qu'Alceste, alors il connaît des tas d'adresses qu'il donne à mon papa.

Sur la route, les voitures, elles n'avançaient plus du tout, et papa a dit qu'à ce train-là on ne serait jamais à Millediou-la-Vigne pour midi. Alors, il a vu une petite route en terre qui partait de la grande route, et papa a tourné le volant et nous y sommes allés avec la voiture.

– Il faut savoir prendre les petits chemins, nous a expliqué papa ; on évite la foule, et souvent on gagne des kilomètres. Nous retrouverons la nationale plus loin.

L'idée de mon papa devait être bonne, parce qu'il y a des tas de voitures qui nous ont suivis. Nous, on était les premiers, et j'étais très fier de mon papa. Et puis, ce qu'il y avait de bien, c'était que la route était tellement étroite que personne ne pouvait nous doubler. Mais ce qui est dommage, c'est que la route s'arrêtait devant une barrière, et que derrière la barrière, il y avait de l'herbe et des vaches qui nous regardaient en mâchant et en faisant meuh !

Comme on ne pouvait pas faire demi-tour, toutes les voitures ont dû reculer jusqu'à la grande route, et ça, ça a pris un drôle de temps. Un monsieur assis sur un gros cheval au bord de la route nous a crié en rigolant que c'était toujours la même chose depuis trois ans, quand le tracteur avait renversé le panneau qui expliquait que c'était une voie sans issue.

Nous sommes arrivés à Millediou-la-Vigne à trois heures moins le quart, mais papa nous a dit que ça ne faisait rien, que c'était tout aussi bien, parce qu'à cette heure-là il n'y aurait plus de clients dans le restaurant et qu'on aurait de la place. Et mon papa avait bien raison : on a eu de la place ; la seule chose, c'est que le patron nous a dit qu'il n'y avait plus rien à manger.

– Tu vois, a dit maman, si j'avais mon panier…

Papa et maman ont commencé à se disputer, mais le patron leur a dit qu'il se débrouillerait pour nous servir quelque chose, et on a eu des œufs durs, des sandwiches et des bananes.

Après le déjeuner, nous sommes repartis, mais on a dû rouler doucement, parce qu'il paraît que la voiture chauffait, et le moteur faisait de drôles de bruits. Nous sommes arrivés chez mémé à six heures du soir. Mémé est sortie en courant de la maison, elle m'a pris dans ses bras, elle m'a embrassé, elle a embrassé maman, et elle a donné la main à papa, et elle a dit qu'elle avait été très inquiète, qu'elle nous attendait plus tôt. Maman a dit qu'il y avait beaucoup de monde sur la route et mémé a demandé à papa pourquoi il n'avait pas pris de raccourci. Papa a dit qu'il allait sortir les valises de l'auto.

La maison de mémé est formidable. Il y a des tas de choses amusantes à voir, et moi j'ai couru jusqu'au poulailler.

– Nicolas, a crié maman, viens faire ta toilette ! Cet enfant me fera mourir !

– Laisse-le, a dit mémé, il est là pour s'amuser, le petit chou.

Et mémé est venue avec moi, et puis elle m'a dit que cette nuit, les poules allaient pondre des œufs en chocolat partout, et que demain il faudrait que je les trouve. Moi, je sais que c'est des blagues, surtout depuis que je suis grand, mais j'ai dit que oui, pour faire plaisir à mémé. Ce qu'il y a de bien, c'est que mémé cache mal les œufs, pour que je puisse les trouver facilement.

Après, mémé m'a montré les petits lapins blancs dans leurs cages. Ils sont très chouettes, avec des yeux rouges, comme Clotaire quand il se fait gronder par la maîtresse, et des nez qui remuent, et Geoffroy fait très bien ça à la récré, pour nous faire rigoler.

– Tu m'en donneras, un petit lapin, mémé ? j'ai demandé.

– Mais, mon chéri, a dit mémé, un petit lapin ne serait pas heureux en ville.

Moi, j'ai dit que bon, que je ne prendrai pas de petit lapin, parce que c'est vrai, j'aime bien les petits lapins, et je ne veux pas qu'ils soient malheureux.

Et puis on a dîné ; c'était très bon, il y avait du potage, du lapin et de la crème. Après dîner, j'ai voulu rester réveillé, mais j'étais très fatigué et je suis monté me coucher, pendant que papa descendait à la cave pour arranger les plombs ; mémé lui a dit qu'ils ne marchaient pas très bien.

Le matin, je me suis réveillé de bonne heure, et c'est très chouette, le matin chez mémé. On entend chanter les coqs, les vaches et les chiens. Je suis allé réveiller papa et maman, mais papa, sans ouvrir les yeux, m'a dit :

– Nicolas, je t'en supplie, laisse-moi tranquille.

Il avait une voix très triste, papa, en me disant ça, alors je l'ai laissé.

Mémé était déjà dans la cuisine, elle m'a embrassé, elle m'a dit que j'étais son poussin à elle et elle m'a donné un grand bol de café au lait, une tartine avec des tas de beurre dessus et un œuf à la coque. Elle m'a dit que quand j'aurais fini de manger, j'irais chercher les autres œufs, les vrais : ceux en chocolat.

– Dépêche-toi, a dit mémé, pendant que je vais réveiller ton papa et ta maman.

Moi, j'ai mangé vite ; ce que ça peut sentir bon, le petit déjeuner dans la cuisine de mémé !

Et puis, papa et maman sont descendus dans la cuisine avec mémé. Papa, il avait mis sa robe de chambre, et il avait les cheveux dépeignés.

– Dépêchez-vous, a dit mémé ; j'ai besoin que vous me coupiez du bois et que vous m'arrangiez quelques bricoles.

– Je croyais que vous aviez un bonhomme ici, qui s'occupait de tout ça, a dit papa.

– Adrien ? a demandé mémé... Bien sûr. Mais vous ne voudriez tout de même pas qu'il travaille à Pâques, cet homme-là ! Il est allé se reposer dans sa famille.

– Le pauvre gars ! a dit papa avec un gros soupir.

Alors, mémé m'a dit :

– Viens, mon chéri ; nous allons chercher les œufs en chocolat.

Nous sommes sortis et derrière la maison, j'ai vu les œufs qui étaient posés sur l'herbe, tous ensemble.

– Cherche bien, m'a dit mémé ; je crois avoir entendu les poulets chanter par là, cette nuit.

Pour faire plaisir à mémé, j'aime bien faire plaisir, j'ai fait semblant de chercher les œufs et puis j'ai crié : « Oh ! Les voilà ! » Alors, mémé m'a pris dans ses bras, elle m'a embrassé des tas de fois, elle a dit que j'étais très intelligent, que j'étais son petit homme et son gros poussin. Et puis elle m'a lâché, j'ai ramassé les œufs et je suis rentré à la maison avec mémé, pour montrer

les œufs à maman et pour les manger. Papa, il était occupé à couper du bois avec une scie, près du poulailler.

Il était drôle à voir avec sa robe de chambre et ses pantoufles, mais comme il avait l'air très intéressé par son travail, je n'ai pas voulu le déranger.

Maman m'a dit que les œufs étaient très jolis, mais que je ne les mange pas maintenant, ça me couperait l'appétit.

– Laisse-le, ce petit, a dit mémé, ça ne peut pas lui faire du mal. Elle est chouette, mémé.

Les œufs, je les ai mangés presque tous, pas tous, parce que je me suis senti fatigué. Alors, je suis allé m'asseoir devant la maison, au soleil, et j'ai commencé à avoir un peu mal au ventre.

Mémé est sortie me voir et elle m'a dit :

– Comme tu es sage, Nicolas… Pourquoi tu ne vas pas jouer un petit peu ?... Comme ça, tu auras très faim pour manger le beau poulet à la crème que je prépare.

Alors, j'ai été très malade, et puis maman m'a pris dans ses bras et m'a couché sur le canapé du salon.

Mémé, qui avait l'air très inquiète, a demandé à maman si ce genre de malaise m'arrivait souvent et s'il ne faudrait pas appeler un docteur.

– En ce qui me concerne, a dit papa qui venait d'entrer, un peu de teinture d'iode et quelques bandages suffiront ; je ne me suis coupé que trois doigts avec votre scie.

– Ah ! Là là, gendre, a dit mémé en rigolant, ce que vous pouvez être maladroit.

– En attendant, a dit papa, je vous ai coupé assez de bois pour chauffer votre maison pendant des mois. Mais une chose m'étonne ; j'ai l'impression qu'il ne fait pas bien froid dans la région : pourquoi avez-vous besoin de tout ce bois ?

– En avril, ne te découvre pas d'un fil, a dit mémé. Et puis, ça sera toujours ça de moins à faire pour Adrien ; il se fait vieux, le pauvre bonhomme !

Papa, il a regardé mémé, et puis il a dit qu'il allait s'habiller.

A midi, à table, mémé était très triste parce que maman n'a pas voulu que je prenne du poulet à la crème.

– Mais ça ne peut pas lui faire de mal, a dit mémé.

Mais maman a insisté pour que je ne mange que des légumes. Moi, j'ai obéi à maman, comme toujours, surtout que je n'avais pas faim. Je crois que c'est à cause des œufs en chocolat.

Après déjeuner, maman m'a dit qu'on allait tous faire la sieste, et qu'après je me sentirais très bien. Moi j'ai dit d'accord, et je suis allé me coucher, pendant que papa allait arranger la barrière qui ne s'ouvrait pas bien.

J'ai drôlement bien dormi, et quand je me suis réveillé je me sentais très bien, et en allant dans le jardin, j'ai fini de manger les œufs en chocolat qui me restaient. Papa était en train de tondre la pelouse et je crois qu'il disait des choses à voix basse, mais je n'ai pas entendu ce qu'il disait.

Mémé, quand elle m'a vu, elle m'a embrassé, et puis elle m'a pris la main et elle m'a dit qu'elle avait une surprise pour mon goûter. Et dans la cuisine, elle a fermé la porte et elle m'a donné du poulet à la crème qui restait de midi. C'était très bon.

Après, nous sommes sortis dans le jardin et nous avons trouvé papa qui a dit :

– Voilà, votre pelouse est tondue. C'est tout ce qu'il y a pour votre service ?...

– Mais reposez-vous un peu, a dit mémé ; c'est vrai, vous vous agitez tout le temps ; il faut savoir prendre des vacances, mon garçon ; vous avez l'air plus fatigué qu'en arrivant. Vous finirez les autres bricoles demain...

– C'est que justement, a dit papa, demain nous ne serons plus là... J'ai décidé de partir ce soir ; il faut qu'après-demain matin je sois au bureau, et je voudrais éviter la cohue du retour.

Mémé n'était pas contente ; elle a dit que c'était de la folie d'avoir fait un tel voyage pour rester si peu de jours, qu'elle n'avait pas eu le temps de me voir et qu'elle ne voulait pas entendre parler de ce départ.

– Désolé, belle-mère, a dit papa, mais il faut que nous partions !...
Et il ne rigolait pas, papa.

Alors, maman qui était venue a dit à mémé qu'en effet, ce serait peut-être plus sage de partir ce soir. Alors, mémé a dit que oh ! oui, bien sûr, personne ne voulait rester auprès d'une pauvre vieille, qu'elle comprenait que c'était une corvée, que personne ne l'aimait, mais que ça ne faisait rien, qu'on pourrait être un peu plus gentil avec elle qui n'avait plus que quelques années à vivre...

– Allons donc, a dit papa, vous nous enterrerez tous.

Et ça, ça m'a fait très peur, et je me suis mis à pleurer ; alors tout le monde m'a consolé, et maman a dit à mémé que de toute façon, mémé viendrait nous voir bientôt chez nous, et mémé a dit d'accord, qu'elle allait préparer le dîner de bonne heure et que papa arrange les persiennes de la chambre à coucher avant de partir.

On a dîné très tôt, et puis pendant que papa mettait les valises dans la voiture, mémé nous a préparé un panier avec des œufs durs, des sandwiches de poulet à la crème et des bananes. Et puis, papa nous a appelés, mémé m'a embrassé avec des tas de larmes dans les yeux, pauvre mémé, elle a embrassé maman, et elle a donné la main à papa, et puis l'auto n'a pas voulu partir.

Papa a donné des tas de coups de poing sur le volant, mais ça n'a servi à rien ; alors il a demandé s'il y avait un garage dans le coin, mémé a dit que oui, elle a dit où c'était, de l'autre côté du village, et papa a dit qu'il allait y aller.

– Je peux venir avec toi, papa ?... j'ai demandé.

Papa ne m'a même pas répondu et maman m'a dit qu'il valait mieux ne pas déranger papa en ce moment, parce qu'il avait des soucis.

On a attendu longtemps, et puis on a vu papa revenir avec un monsieur qui avait des sabots, un pantalon sale et qui mâchait de la paille.

– Monsieur a bien voulu venir, bien que son garage soit fermé, a expliqué papa.

– Ouaip a dit le monsieur, qui a regardé dans le moteur de l'auto.

Et puis il s'est gratté la tête, il a mis les mains dans ses poches, et il a dit : « Ouaip, c'est bien ce que je pensais. »

– Vous pouvez m'arranger ça tout de suite ?... a demandé papa.

– Non, a dit le monsieur, je n'ai pas cette pièce, faudra que je la demande au concessionnaire. Je crois pas qu'il en ait. Ça casse jamais, ces pièces-là. C'est la première fois que j'en vois une de cassée.

– Vous croyez que demain matin ?... a demandé papa.

– Lundi de Pâques ?... Vous voulez rigoler, a dit le monsieur. Pas avant mardi, j'aurai les pièces mercredi ou jeudi. Avant la fin de la semaine, je vous arrangerai ça. Ouaip.

Et il est parti.

Papa n'était pas content ; alors mémé lui a dit qu'il y avait un train à trois heures de l'après-midi et que son voisin, M. Bougru, accepterait sûrement de nous conduire demain à la gare avec son camion. Moi j'étais bien content, parce que ça nous faisait rester en vacances plus longtemps chez mémé. Maman m'a pris à part et elle m'a dit qu'il fallait être très gentil avec papa, qui était un peu nerveux.

Le lendemain matin, papa a eu le temps de nettoyer le poulailler et de repeindre la cabane à outils ; on a déjeuné de bonne heure, et puis M. Bougru est venu nous chercher. Le voyage en camion a été très chouette ; bien sûr, ça ne sentait pas très bon, mais M. Bougru nous a expliqué que d'habitude, ce qu'il emmenait à la gare, c'était des bestiaux.

Il y avait beaucoup de monde dans le train, mais maman a trouvé une place dans un compartiment et elle m'a pris sur ses genoux. Papa il a dû rester dans le couloir, mais il aime bien ça, parce qu'on peut fumer.

Nous sommes arrivés très tard dans la nuit à la maison. Nous étions bien contents. Celui qui a de la chance, c'est papa, parce que lui, il doit retourner chez mémé samedi prochain, pour chercher son auto. Ça va lui faire du bien de prendre encore un peu de repos, papa, parce que maman et moi, à notre retour, nous l'avons trouvé un peu fatigué. En tout cas, ça a été de chouettes vacances de Pâques ; je vous souhaite à tous d'en avoir d'aussi bonnes.

JOYEUSES PÂQUES !

Des mêmes auteurs

Aux éditions Denoël

Le Petit Nicolas, 1960

•

Les Récrés du Petit Nicolas, 1961

•

Les Vacances du Petit Nicolas, 1962

•

Le Petit Nicolas et les copains, 1963

Prix Alphonse Allais
qui récompense le livre le plus drôle de l'année.

•

Le Petit Nicolas a des ennuis, 1964

Aux éditions IMAV

Histoires inédites du Petit Nicolas, 2004

Globe de Cristal 2006
Prix de la Presse pour les arts et la culture.

Goscinny et Sempé

•

Biographies

&

Bibliographies

René Goscinny
Biographie

« J E SUIS NÉ LE 14 AOÛT 1926 à Paris et me suis mis à grandir aussitôt après. Le lendemain, c'était le 15 août et nous ne sommes pas sortis. » Sa famille émigre en Argentine où il suit toute sa scolarité au Collège français de Buenos Aires : « J'étais en classe un véritable guignol. Comme j'étais aussi plutôt bon élève, on ne me renvoyait pas. » C'est à New York qu'il débute sa carrière.

Rentré en France au début des années 1950, il donne naissance à toute une série de héros légendaires ; Goscinny imagine les aventures du Petit Nicolas avec Jean-Jacques Sempé, inventant un langage de gosse qui va faire le succès du célèbre écolier. Puis, Goscinny crée Astérix avec Albert Uderzo. Le triomphe du petit Gaulois sera phénoménal. Traduites en 107 langues et dialectes, les aventures d'Astérix font partie des œuvres les plus lues dans le monde. Auteur prolifique, Goscinny réalise en même temps Lucky Luke avec Morris, Iznogoud avec Tabary, les Dingodossiers avec Gotlib... etc.

A la tête du journal *Pilote*, il révolutionne la bande dessinée, l'érigeant au rang de « 9e Art ».

Cinéaste, Goscinny fonde les Studios Idéfix avec Uderzo et Dargaud. Il réalise quelques chefs-d'œuvre du dessin animé : *Astérix et Cléopâtre, Les Douze Travaux d'Astérix, Daisy Town* et *La Ballade des Dalton*. Il recevra à titre posthume un César pour l'ensemble de son œuvre cinématographique.

Le 5 novembre 1977, René Goscinny meurt à l'âge de 51 ans. Hergé déclare : « Tintin s'incline devant Astérix. » Ses héros lui ont survécu et nombre de ses formules sont passées dans notre langage quotidien : « tirer plus vite que son ombre », « devenir calife à la place du calife », « être tombé dedans quand on était petit », « trouver la potion magique », « ils sont fous ces Romains »…

Scénariste de génie, c'est au travers des aventures du Petit Nicolas, enfant malicieux aux frasques redoutables et à la naïveté touchante, que Goscinny donne toute la mesure de son talent d'écrivain. Ce qui lui fera dire : « J'ai une tendresse toute particulière pour ce personnage. »

René Goscinny
Bibliographie

•

Aux Editions Hachette
Astérix, 25 volumes, Goscinny & Uderzo, (Dargaud 1961), 1999.

Aux Editions Albert René
Astérix, 8 albums, Uderzo sous la double
signature Goscinny & Uderzo, 1980.
*Comment Obélix est tombé dans la marmite du druide
quand il était petit*, Goscinny & Uderzo, 1989.
Astérix et la rentrée gauloise, Goscinny & Uderzo, 2004.
Astérix et la surprise de César, d'après le dessin animé
tiré de l'oeuvre de Goscinny & Uderzo, 1985.
Le coup du menhir, (idem), 1989.
Astérix et les Indiens, (idem), 1995.
Astérix et les Vikings, (idem), 2006.
Oumpah-Pah, 3 volumes, Goscinny & Uderzo,
(Le Lombard 1961), 1995.
Jehan Pistolet, 4 volumes, Goscinny & Uderzo,
(Lefrancq 1989), 1998.

Aux Editions Lefrancq
Luc Junior, 2 volumes, Goscinny & Uderzo, 1989.
Benjamin et Benjamine, Les Naufragés de l'air,
Goscinny & Uderzo, 1991.

Aux Editions Dupuis
Lucky Luke, 22 volumes, Morris & Goscinny, 1957.
Jerry Spring, La piste du Grand Nord,
Jijé & Goscinny, 1958, 1993.

Aux Editions Lucky Comics
Lucky Luke, 19 volumes, Morris & Goscinny, 1968, 2000.

Aux Editions Dargaud
Les Dingodossiers, 3 volumes, Goscinny & Gotlib, 1967.
Iznogoud, 8 volumes, Goscinny & Tabary, 1969, 1998.

Aux Editions Tabary
Iznogoud, 8 volumes, Goscinny & Tabary, 1986 –
11 volumes, Tabary sous la double signature Goscinny & Tabary
Valentin le vagabond, Goscinny & Tabary, 1975.

Aux Editions du Lombard
Modeste et Pompon, 3 volumes, Franquin & Goscinny,
1958, 1996.
Chick Bill, La bonne mine de Dog Bill, Tibet & Goscinny,
1959, 1981.
Spaghetti, 11 volumes, Goscinny & Attanasio, 1961, 1999.
Strapontin, 6 volumes, Goscinny & Berck, 1962, 1998.
Les Divagations de M. Sait-Tout, Goscinny & Martial, 1974.

Aux Editions Denoël
La Potachologie, 2 volumes, Goscinny & Cabu, 1963.
Les Interludes, Goscinny, 1966.

Aux Editions Vents d'Ouest
Les Archives Goscinny, 4 volumes, 1998.

Aux Editions Actes Sud
Tous les visiteurs à terre, (Denoël 1969), 1999.

Jean-Jacques Sempé

Biographie

« QUAND J'ÉTAIS GOSSE, le chahut était ma seule distraction. » Sempé est né le 17 août 1932 à Bordeaux. Etudes plutôt mauvaises, renvoyé pour indiscipline du Collège moderne de Bordeaux, il se lance dans la vie active : homme à tout faire chez un courtier en vin, moniteur de colonies de vacances, garçon de bureau...

A dix-huit ans, il devance l'appel et monte à Paris. Il écume les salles de rédaction et, en 1951, il vend son premier dessin à *Sud-Ouest*. Sa rencontre avec Goscinny coïncide avec les débuts d'une fulgurante carrière de « dessinateur de presse ». Avec le Petit Nicolas, il campe une inoubliable galerie de portraits d'affreux jojos qui tapissent depuis notre imaginaire. Parallèlement aux aventures du petit écolier, il débute à *Paris Match* en 1956 et collabore à de très nombreuses revues.

Son premier album de dessins paraît en 1962 : *Rien n'est simple*. Une trentaine suivront, chefs-d'œuvre d'humour traduisant à merveille sa vision tendrement ironique de nos travers et des travers du monde.

Créateur de Marcellin Caillou, de Raoul Taburin, ou encore de Monsieur Lambert, son talent d'observateur allié à un formidable sens du dérisoire en font depuis quarante ans l'un des plus grands dessinateurs français.

Outre ses propres albums, il a illustré *Catherine Certitude* de Patrick Modiano ou encore *L'histoire de Monsieur Sommer* de Patrick Süskind.

Sempé est l'un des rares dessinateurs français à illustrer les couvertures du très prestigieux *New Yorker*, et aujourd'hui, il fait sourire des milliers de lecteurs dans *Paris Match*...

C'est avec enthousiasme qu'il a accueilli la publication des *Histoires inédites du Petit Nicolas*. Emu par cet évènement, il a été surpris et amusé par ce succès du Petit Nicolas.

Jean-Jacques Sempé
Bibliographie

•

Aux Editions Denoël
Rien n'est simple, 1962.
Tout se complique, 1963.
Sauve qui peut, 1964.
Monsieur Lambert, 1965.
La grande panique, 1966, 1994.
Saint-Tropez, 1968.
Information-consommation, 1968.
Marcellin Caillou, 1969, 1994.
Des hauts et des bas, 1970, 2003.
Face à face, 1972.
Bonjour, bonsoir, 1974.
L'ascension sociale de Monsieur Lambert, 1975.
Simple question d'équilibre, 1977, 1992.
Un léger décalage, 1977.
Les musiciens, 1979, 1996.
Comme par hasard, 1981.
De bon matin, 1983.
Vaguement compétitif, 1985.
Luxe, calme et volupté, 1987.
Par avion, 1989.
Vacances, 1990.
Insondables mystères, 1993.
Raoul Taburin, 1995.
Grands rêves, 1997.
Beau temps, 1999.
Multiples intentions, 2003.

Aux Editions Gallimard
Catherine Certitude, Sempé & Modiano, 1988.
L'histoire de Monsieur Sommer, Sempé & Süskind, 1991.
Un peu de Paris, 2001.
Un peu de la France, 2005.

Direction éditoriale : Aymar du Chatenet

Remerciements à Caroline Guillot

Conception et maquette de Martine Gossieaux.

Achevé d'imprimer en octobre 2006
par l'imprimerie Aubin

Dépôt légal : septembre 2006
N° d'éditeur : 2-915732
Imprimé en France